TAKING A NAP

Connect the dots from 1 to 10.
Color the picture.

PLAYING THE BANJO

Find and circle the hidden pictures.

| fish | cork | pacifier | sweet potato | candy | spoon | iron | shoe |

 hat

 hammer

 safety cone

 clothespin

 cheese

 necktie

 saw

worm

Look at the word list. Circle the words in the puzzle.

CRYSTAL	GLITTER
GOLD	JEWELS
SILVER	STAR
ICE	EYE
SNOW	WATER

Q I I U K A I C E

P W E Y E G O L D

U A Q S M G N S B

E T L T V L O N E

B E S A F I H O Q

F R I R C T Y W E

A C R Y S T A L L

E C J E W E L S N

S I L V E R H M P

Look at the word list. Circle the words in the puzzle.

DRILL	LEVEL
HAMMER	WRENCH
ROPE	MALLET
CLAMP	RULER
PLIERS	SAW

L W P H A Y Q C Q

E T L A D R I L L

V I I M I K L Y Z

E C E M G I L G Y

L W R E N C H C A

Z H S R W L O L R

S A W R G B T A O

Y M A L L E T M P

T R U L E R Q P E

PLAYING IN THE MUD

Connect the dots from 1 to 10.
Color the picture.

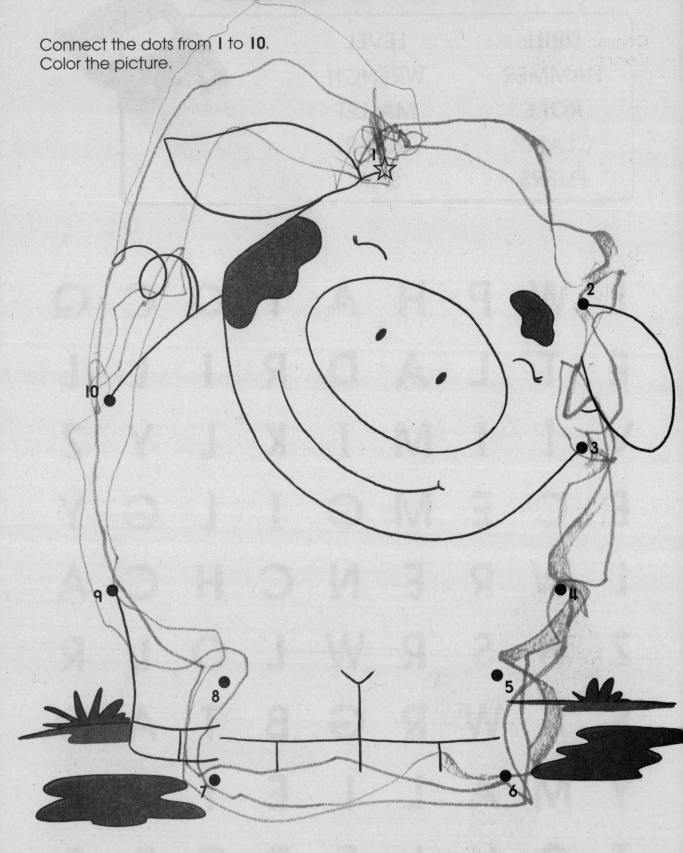

FLYING A KITE

Connect the dots from 1 to 10.
Color the picture.

VISITING THE RUINS

Find and circle the hidden pictures.

lemon   lotion   lightning bolt   dumbbell   pillow   watermelon   nail   orange

lightbulb taco candy corn magnifying glass rocket snake milk carton acorn

FIRE ALARM

Draw a line from the ➡ to the finish.

FINISH

DIVING DEEP

Draw a line from the ➡ to the finish.

Look at the word list. Circle the words in the puzzle.

NV

MAINE	UTAH
TEXAS	ALASKA
OHIO	HAWAII
IOWA	NEVADA
KANSAS	IDAHO

D S X U M T T M U
Y V D O A E G M J
I O W A I X U A H
K M K T N A T L A
A R H Y E S A A W
N I D A H O H S A
S T O H I O C K I
A N S X J L X A I
S N E V A D A U G

Look at the word list. Circle the words in the puzzle.

WATER	SAND
SPORTS	SUN
SWIM	BOAT
HIKE	VACATION
PICNIC	SHORTS

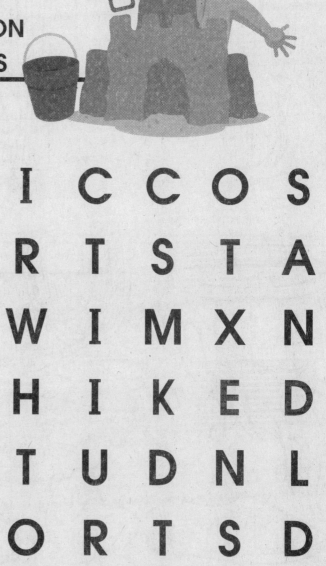

P I C N I C C O S

V S P O R T S T A

A B Y S W I M X N

C C R G H I K E D

A B O A T U D N L

T R S H O R T S D

I W A T E R F K S

O W A S U N X P C

N D A O J F B W N

HORSES IN THE STABLE

Find and circle the hidden pictures.

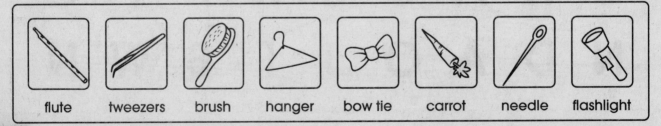

| flute | tweezers | brush | hanger | bow tie | carrot | needle | flashlight |

LOST CALF

Draw a line from the ➡ to the finish.

FINISH

15

SPRING FLOWER

Connect the dots from 1 to 10.
Color the picture.

3

1

5

2

4

10

6

9

7

8

WHAT A CLIMB!

Find and circle the hidden pictures.

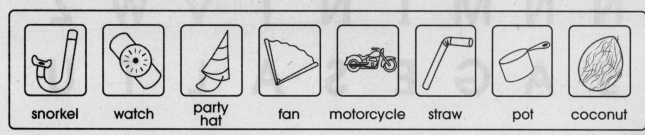

| snorkel | watch | party hat | fan | motorcycle | straw | pot | coconut |

Look at the word list. Circle the words in the puzzle.

SAGE	SALT
CURRY	MINT
DILL	NUTMEG
BASIL	PEPPER
GINGER	VANILLA

I S Q Y C T K R P

D I L L C E N L E

B B D K Q O W K P

A N U T M E G Z P

S C U R R Y R Y E

I Q O G I N G E R

L C V A N I L L A

N N M I N T V W Z

S A G E S A L T U

Look at the word list. Circle the words in the puzzle.

BIRDS	PUDDLE
SHOWERS	GARDEN
FLOWER	EGGS
EASTER	RAINBOW
BUDS	BUGS

H U B O R E V P T
W Q P B A G R B S
E B U U I G D Q H
A I D G N S F N O
S R D S B Y L V W
T D L H O O O P E
E S E Z W Y W P R
R B U D S N E A S
G A R D E N R S N

LOST DUCKLINGS

Draw a line from the ➡ to the finish.

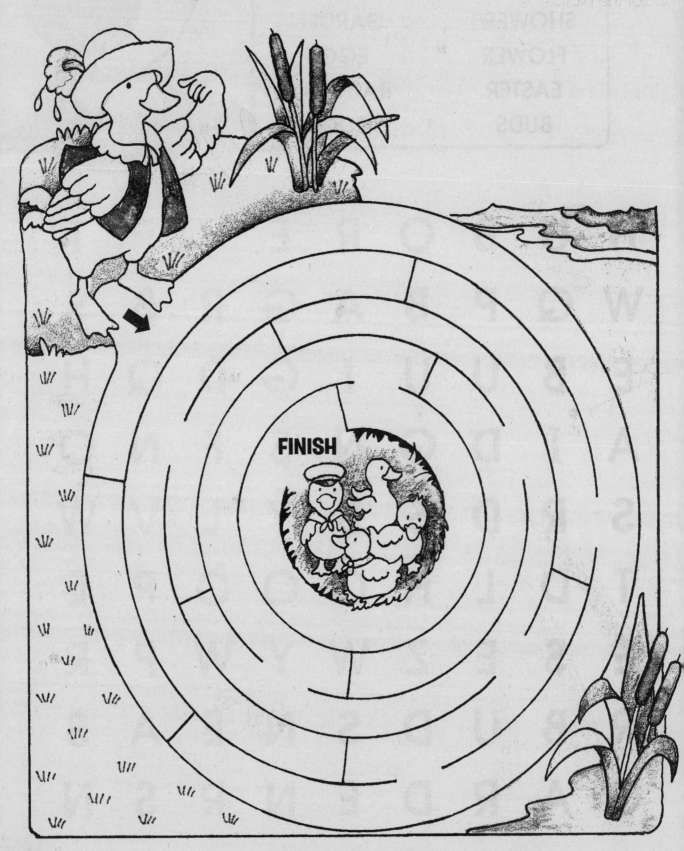

FINISH

A SHINING STAR

Connect the dots from **1** to **10**.
Color the picture.

GOING SLEDDING

Draw a line from the ➡ to the finish.

FINISH

LOOKING FOR SOMETHING SWEET

Draw a line from the ➡ to the finish.

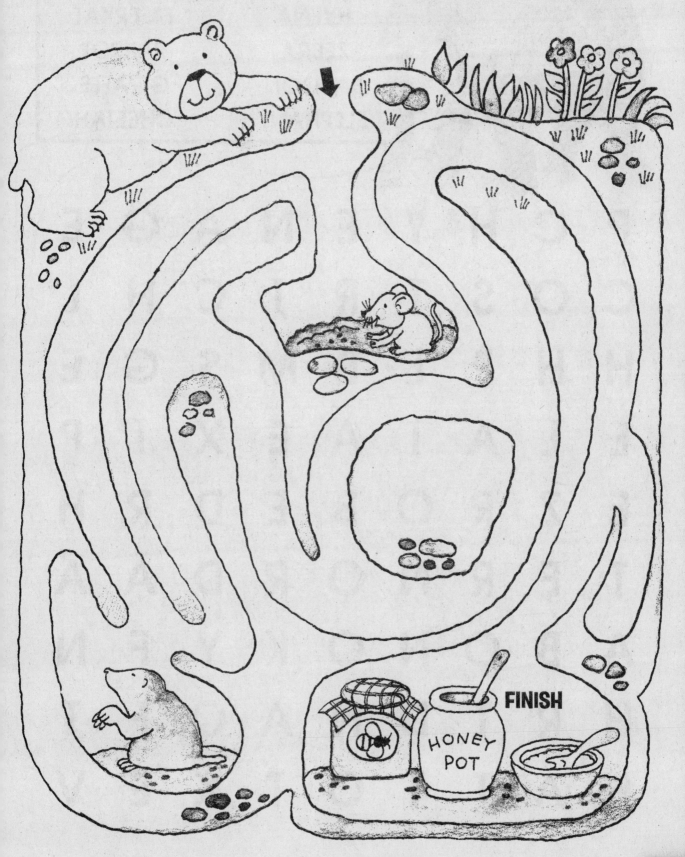

FINISH

HONEY POT

Look at the word list. Circle the words in the puzzle.

LION   OSTRICH
HYENA   MEERKAT
ZEBRA   PARROT
BABOON   GIRAFFE
ELEPHANT   CHEETAH

```
P  C  H  Y  E  N  A  G  E
C  O  S  T  R  I  C  H  L  L
H  H  P  L  B  M  S  G  E
E  L  A  I  A  E  X  I  P
E  Z  R  O  B  E  D  R  H
T  E  R  N  O  R  D  A  A
A  B  O  N  O  K  Y  F  N
H  R  T  D  N  A  Q  F  T
H  A  T  T  O  T  X  E  V
```

Look at the word list. Circle the words in the puzzle.

SOME	GOOD
MORE	WHEN
THEN	WHAT
THERE	AFTER

A M L X V E Y H U

T O W H A T R X H

H R K S Y G O O D

E E V O H L A R T

N K Z M D J F C H

J Q T E T X T W E

I N V B A Q E E R

N X D T E K R I E

W H E N L V M V I

CONSTRUCTION ZONE

Find and circle the hidden pictures.

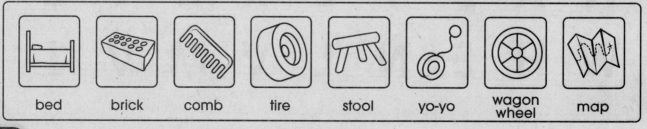

bed   brick   comb   tire   stool   yo-yo   wagon wheel   map

CONSTRUCTION ZONE
KEEP OUT

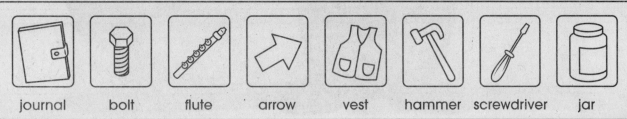

journal   bolt   flute   arrow   vest   hammer   screwdriver   jar

BIG HAT

Connect the dots from **1** to **10**.
Color the picture.

SPACE ODYSSEY

Connect the dots from **1** to **10**.
Color the picture.

Look at the word list. Circle the words in the puzzle.

TOYS		HAMSTER	
BIRD		RABBIT	
FOOD		TREATS	
CAT		LIZARD	
FISH		DOG	

B J R K D M H D T

Q O H D O G A T C

L I Z A R D M R Y

C O C A T O S E R

R T C K T Q T A A

F O X C F Y E T B

I Y E J E C R S B

S S F O O D A S I

H B I R D W W I T

Look at the word list. Circle the words in the puzzle.

BAMBOO	FLOWER
MOSS	SEAWEED
MUSHROOM	TREE
FERN	SHRUB
HERB	CACTUS

S E A W E E D B V

S I F E R N C A K

H F L O W E R M M

R H T R E E U B O

U C O U D Z D O S

B F L B L L A O S

H F I H E R B E V

W V C A C T U S F

M U S H R O O M C

MOON WALK

Draw a line from the  to the finish.

FINISH

THE DINOS IN CONCERT

Find and circle the hidden pictures.

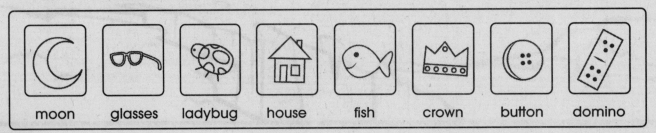

moon   glasses   ladybug   house   fish   crown   button   domino

WHERE'S MY MOM?

Draw a line from the ➡ to the finish.

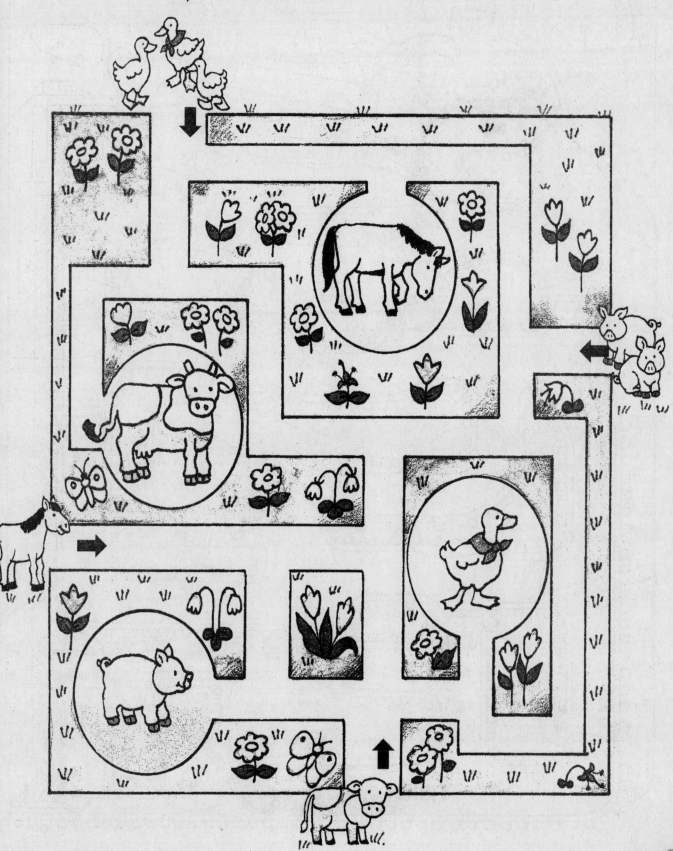

FOLLOW THE TRACKS

Draw a line from the ➡ to the finish.

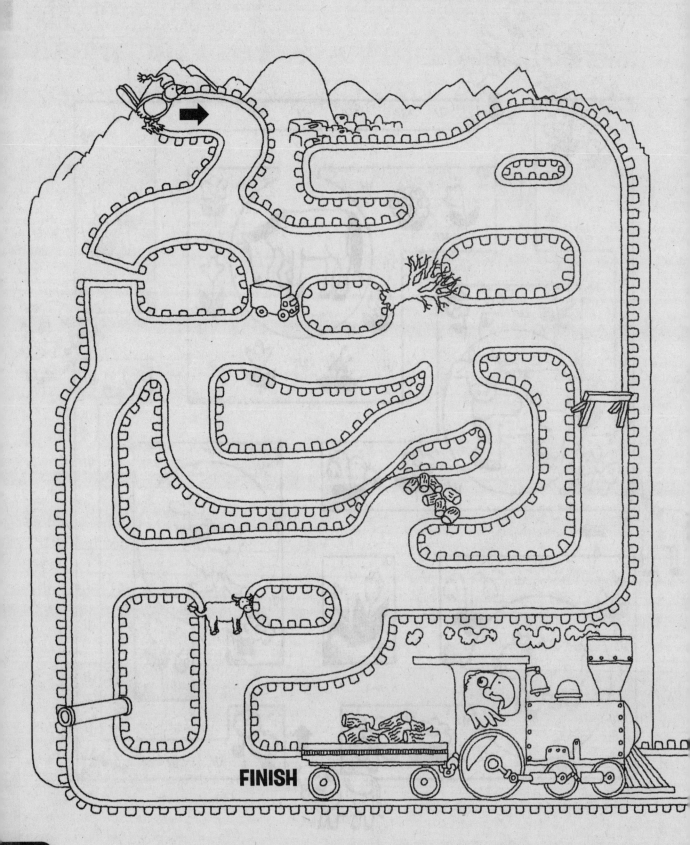

FINISH

JOURNEY THROUGH THE RAIN FOREST

Draw a line from the ➡ to the finish.

FINISH

Look at the word list. Circle the words in the puzzle.

SOUR   FAT
SWEET   LEFT
TALL   SHORT
RIGHT   THIN

N I Q C P Q L E M
H Z E R S W E E T
P W S F A T W O H
S H O R T H G V A
R V U U J I C K T
I N R E J N D K A
G K L E F T U C L
H G L T V D I S L
T P T F A K L M M

©School Zone Publishing Company 12502

Look at the word list. Circle the words in the puzzle.

SEED	THORN
FLOWER	VINE
PETAL	ROOT
BARK	FRUIT
LEAF	STEM

Y C B F J B X K X

W K X R M S T E M

T O G U H D Y C I

H X T I V B R S F

O Q E T F A O E L

R L E A F R O E O

N K U W A K T D W

J P B V I N E N E

F P E T A L T I R

AT THE BARBER SHOP

Find and circle the hidden pictures.

hot dog   mug   horn   glasses   battery   match   horseshoe   whistle

CRUISING THE GALAXY

Connect the dots from **1** to **10**.
Color the picture.

LONG RIVER

Draw a line from the ➡ to the finish.

AMUSEMENT PARK FUN

Find and circle the hidden pictures.

| bug | grapes | book | chest | squirrel | ladder | balloon | television |

SWIMMING IN THE OCEAN

Connect the dots from I to 10.
Color the picture.

DESERT LIFE

Draw a line from the ➡ to the finish.

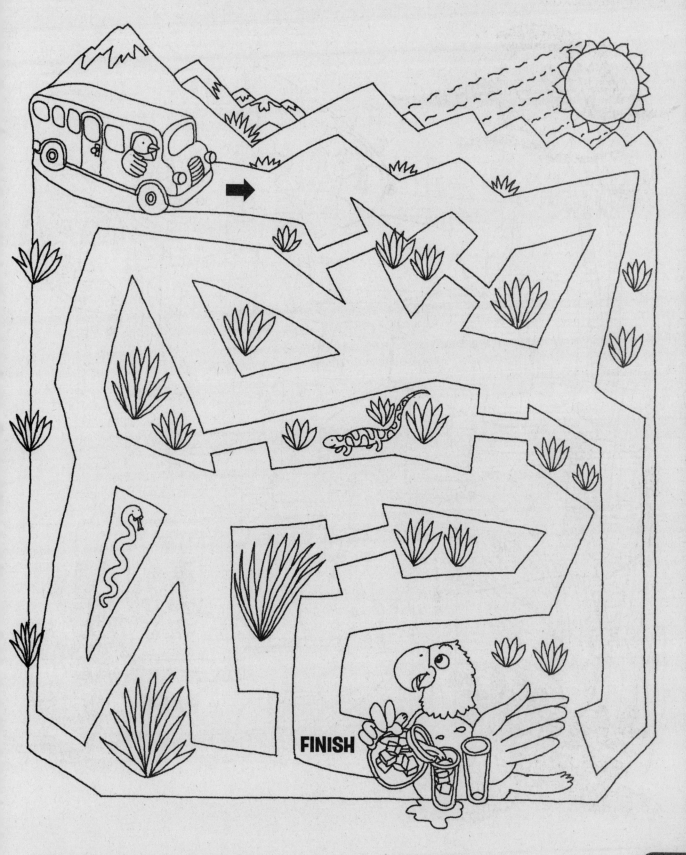

FINISH

SAY "CHEESE!"

Draw a line from the ➡ to the finish.

FINISH

CLOWNING AROUND

Connect the dots from 1 to 10.
Color the picture.

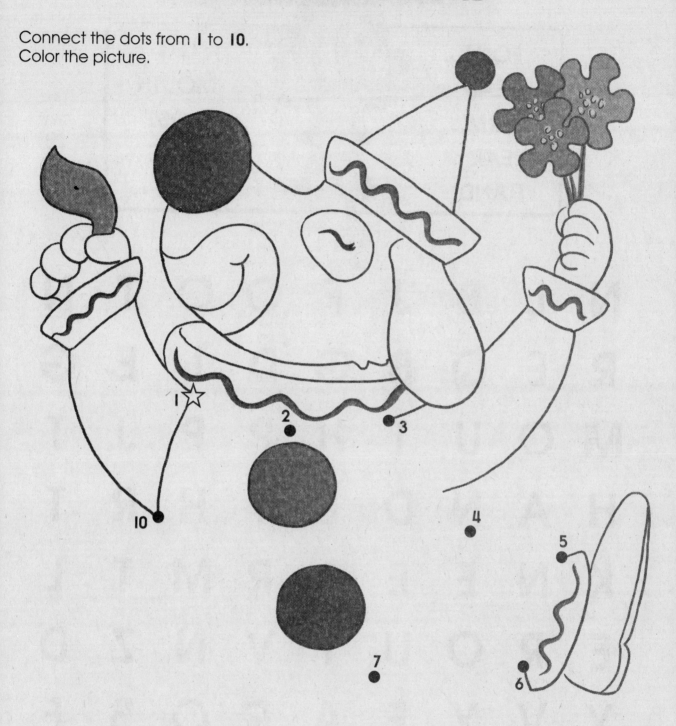

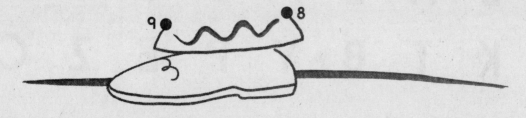

Look at the word list. Circle the words in the puzzle.

FOOT
HEAD
ARM
EAR
HAND

LEG
MOUTH
NOSE
KNEE
EYE

N L B J F O O T N
R E Q B G D L E G
M O U T H P P J T
H A N D L T H R T
K N E E A R M T L
E R O U Y V N Z D
Y V Y E A R O B F
E E H E A D S V T
O K T B Y P E Z C

Look at the word list. Circle the words in the puzzle.

CORN   FARMER
MILK   TRACTOR
EGG   CHICKEN
PIG   BARN
COW   FIELD

Q J U Y P B M U E
M Y G C I X F K U
C O R N G F T B C
C P E G G A R A H
O Q F M K R A R I
W A I I K M C N C
E Z E L U E T G K
B F L K N R O V E
N D D N X U R I N

WHAT A SNACK!

Find and circle the hidden pictures.

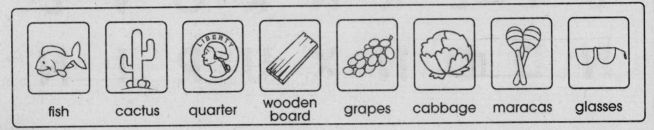

| fish | cactus | quarter | wooden board | grapes | cabbage | maracas | glasses |

THE BIG CITY

Draw a line from the ➡ to the finish.

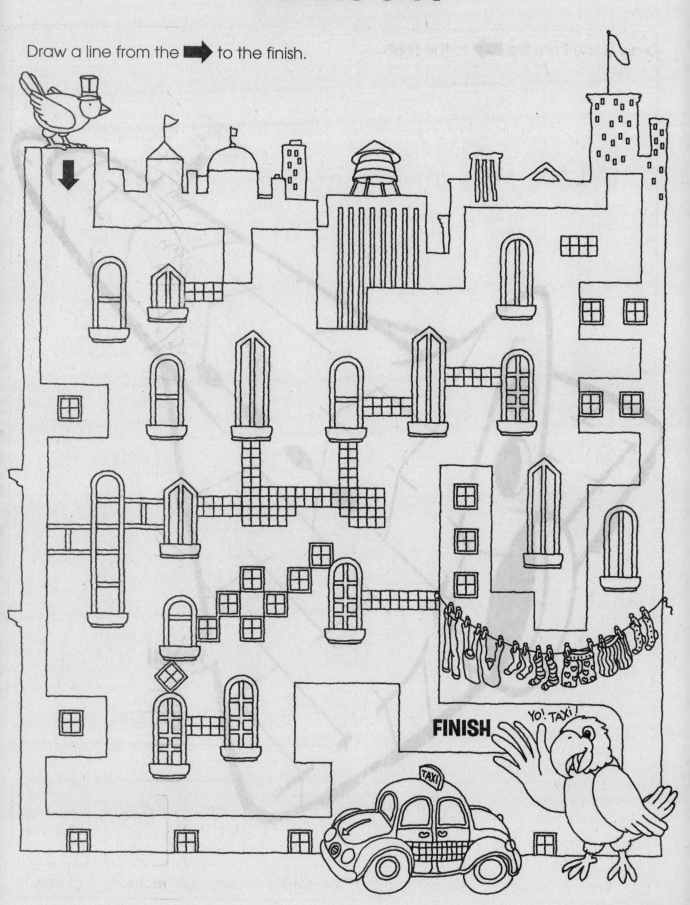

FINISH

YO! TAXI!

TAXI

51

SPACE WALK

Draw a line from the ➡ to the finish.

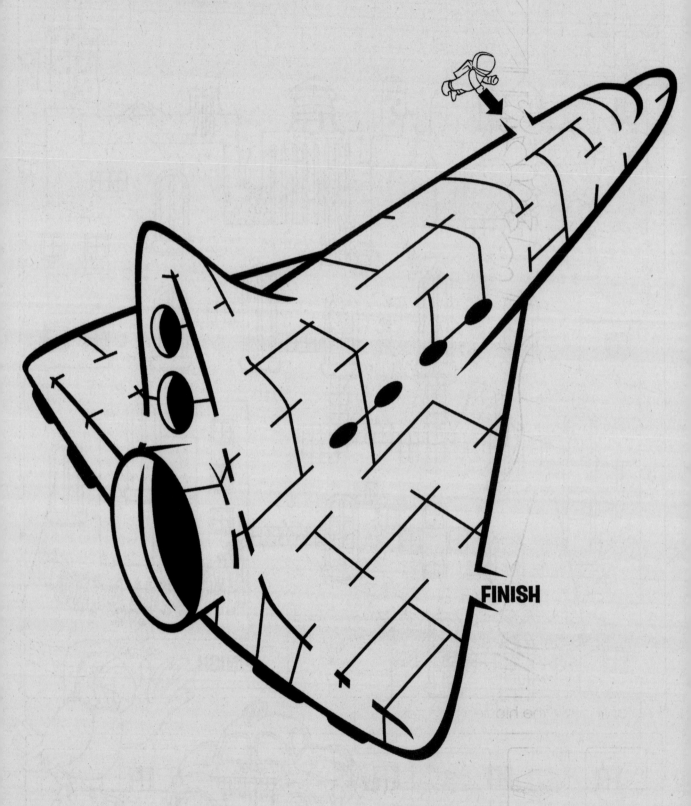

FINISH

PRACTICE MAKES PERFECT

Find and circle the hidden pictures.

| bee | sandwich | ornament | stop sign | bird | tape measure | drum | pinwheel |

HOME SWEET HOME

Connect the dots from 1 to 15.
Color the picture.

BAGPIPE MUSIC

Draw a line from the ➡ to the finish.

FINISH

Look at the word list. Circle the words in the puzzle.

PIN	ANT
PEA	MOUSE
THIMBLE	TACK
FLOWER	BABY
MARBLE	LADYBUG

L L J Y J J V M O F

A A M A R B L E L L

D W V I Y J B M O

Y D C T P E A O W

B X T A C K B U E

U N G M Z H Y S R

G P I N A N T E N

T H I M B L E J W

L Q T F V W F L N

Look at the word list. Circle the words in the puzzle.

DRAGON　　ROYAL
CROWN　　KING
CASTLE　　KNIGHT
PRINCESS　SWORD
QUEEN　　HORSE

A O M C Q U E E N
R N C A K I N G P
O J R S M N A T R
Y V O T F Q S V I
A J W L K T W J N
L R N E S L O Y C
K N I G H T R U E
B H O R S E D J S
C D R A G O N L S

HIKING THROUGH THE FOREST

Find and circle the hidden pictures.

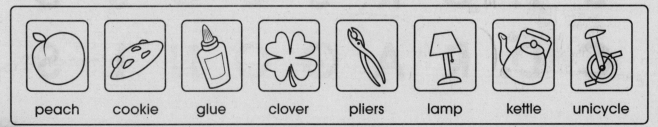

peach   cookie   glue   clover   pliers   lamp   kettle   unicycle

HAPPY DOG

Connect the dots from 1 to 15.
Color the picture.

JUST HANGING AROUND

Find and circle the hidden pictures.

kite

rope

straw

birdbath

wrench

bread

pot of gold

popcorn

PITCHING THE TENT

Find and circle the hidden pictures.

panda   chair   candy cane   canoe   paper airplane   calculator   balloon   porcupine

TOUR DE FRANCE

Draw a line from the ➡ to the finish.

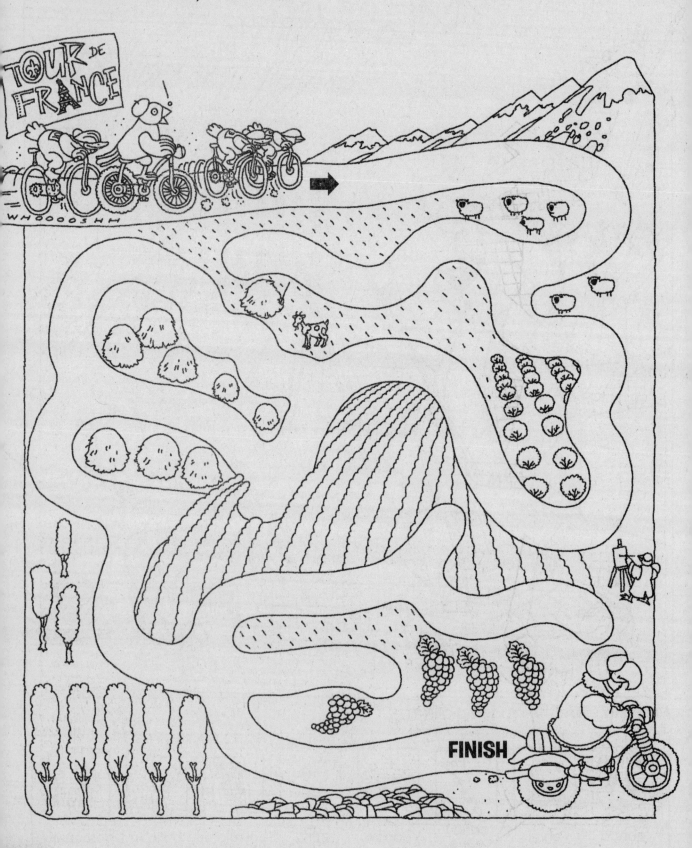

FINISH

TALL TOWER

Draw a line from the ➡ to the finish.

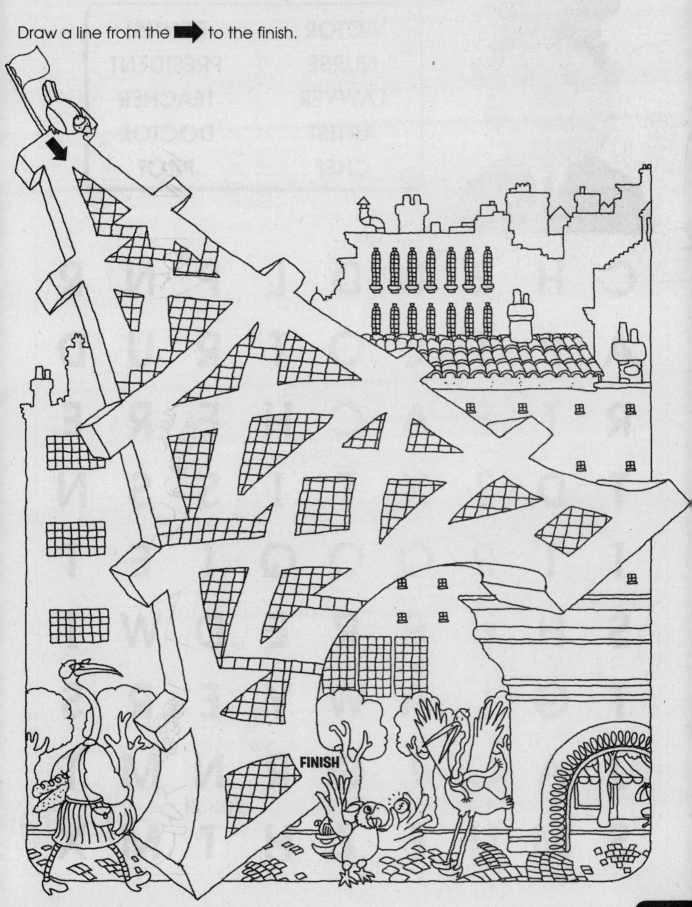

FINISH

63

Look at the word list. Circle the words in the puzzle.

ACTOR	DENTIST
NURSE	PRESIDENT
LAWYER	TEACHER
ARTIST	DOCTOR
CHEF	PILOT

C H E F D L P N R

A P I L O T R U D

R T E A C H E R E

T D Z X T I S S N

I I R Q O Q I E T

S H H E R E D W I

T G L A W Y E R S

J A C T O R N M T

S M N E Z H T M X

Look at the word list. Circle the words in the puzzle.

SPELLING	COLORS
READING	COUNTING
MATH	NUMBERS
ALPHABET	WORDS
TIME	SHAPES

S H A P E S Y R C
V C S M A T H N O
R O P I L N W S U
E L E M P U V M N
A O L H H M W A T
D R L T A B O U I
I S I I I B E R L N
N H N M E R D K G
G S G E T S S A W

TOASTING MARSHMALLOWS

Connect the dots from 1 to 15.
Color the picture.

A SWEET TREAT

Draw a line from the ➡ to the finish.

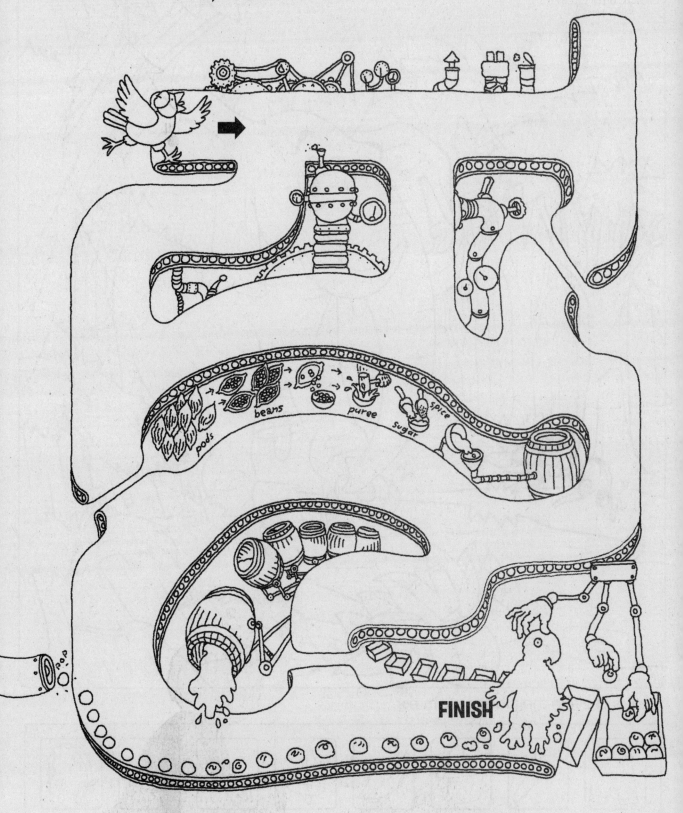

ELEPHANT EXPLORER

Find and circle the hidden pictures.

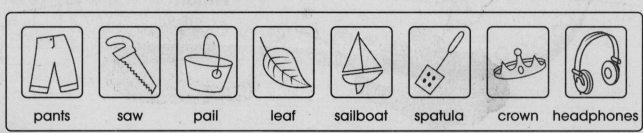

| pants | saw | pail | leaf | sailboat | spatula | crown | headphones |

BIG YAWN

Connect the dots from **1** to **15**.
Color the picture.

CUCKOO!

Draw a line from the ➡ to the finish.

#1 FANS

Find and circle the hidden pictures.

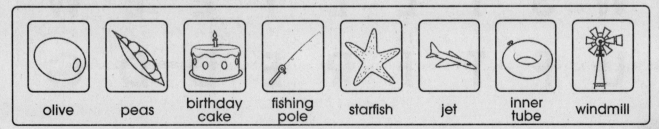

| olive | peas | birthday cake | fishing pole | starfish | jet | inner tube | windmill |

©School Zone Publishing Company 12502

Look at the word list. Circle the words in the puzzle.

SILLY	JOYFUL
PROUD	CALM
GRUMPY	TIRED
SCARED	MAD
SLEEPY	EXCITED

```
C I V M B D G I D
A M A D G E L Q K
L B L A O H E O P
M P Z R I M X S R
G R U M P Y C C O
J O Y F U L I A U
S L E E P Y T R D
W S I L L Y E E W
U F T I R E D D G
```

Look at the word list. Circle the words in the puzzle.

HOUSE   ZOO
LIBRARY   HOSPITAL
MUSEUM   THEATER
CAFE   SCHOOL
PARK   BAKERY

```
E H O S P I T A L
D H O U S E S P C
M U S E U M L A A
I L Z O O S I R F
I K T R G H B K E
T H E A T E R Y Z
S C H O O L A X R
B A K E R Y R Y N
Y N W X R A Y A O
```

SWAMP BUDDY

Connect the dots from 1 to 15.
Color the picture.

VOYAGE IN VENICE

Draw a line from the ➡ to the finish.

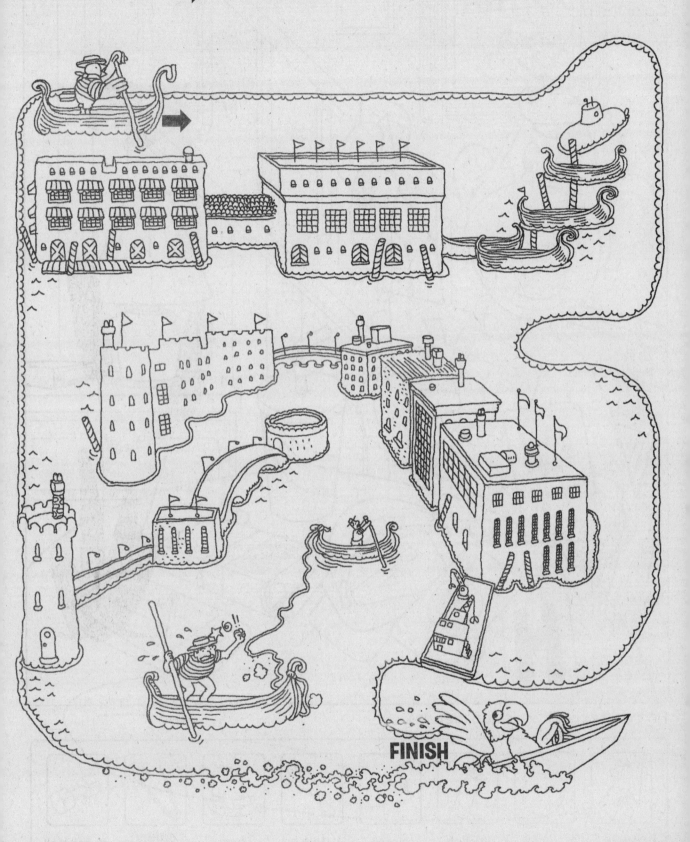

FINISH

MONKEYING AROUND

Find and circle the hidden pictures.

| arrow | apple | lipstick | cloud | fork | hat | safety pin | dumbbell |

PERFECT PASTA

Draw a line from the ➡ to the finish.

FINISH

Look at the word list. Circle the words in the puzzle.

LILAC	ROSE	ORCHID
IRIS	PANSY	DAISY
	TULIP	PEONY
	DAFFODIL	LILY

D A F F O D I L L L
P Y M E V C V O K
A D T U L I P Y T
N E A D A I S Y P
S I R I S L E L E
Y R O S E B T I O
H O R C H I D L N
M P Z L I L Y A Y
O E W M G S N C N

Look at the word list. Circle the words in the puzzle.

BOOKS	LUNCH
KIDS	BUS
RECESS	DESK
MUSIC	TEACHER
GYM	ART

B M U S I C K J L
C T D G F K Q D U
Z E E R C G W D N
R A S E S Y X P C
K C K C U M R B H
C H Z E P K B U S
T E K S N I A U K
I R N S P D R U H
B O O K S S T Q Y

TROPHY CAT

Connect the dots from **1** to **15**.
Color the picture.

PLAYING IN THE PARK

Find and circle the hidden pictures.

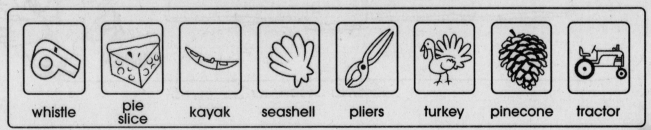

| whistle | pie slice | kayak | seashell | pliers | turkey | pinecone | tractor |

RUNNING WITH THE BULLS

Draw a line from the ➡ to the finish.

FINISH

SWIMMING SWAN

Connect the dots from **1** to **20**.
Color the picture.

AFTERNOON DIP

Find and circle the hidden pictures.

| pitcher | locket | clownfish | blimp | cannon | squid | atom | hook |

BY THE SHORE

Find and circle the hidden pictures.

| stocking cap | apple | paintbrush | cookie | broom | bowl | paper clip | spaceship |

Look at the word list. Circle the words in the puzzle.

PATIENT	DOCTOR
NURSE	EXAM
SCALE	SHOT
PULSE	VITAMIN
GOWN	MEDICINE

P U L S E B O A B
V M E D I C I N E
I K W T Y D E J Q
T N V F M O X O L
A U G I S C A L E
M R O I S T M V O
I S W O H O A Q Z
N E N Y O R I T E
D L P A T I E N T

Look at the word list. Circle the words in the puzzle.

BYE   BALL
NOSE   BABY
MOM   DAD
DOG   CAT

E T Q B Y E J A N

N O S E B A B Y S

O G H H J H J C U

G Y M O M N H A R

G M G H X P B T L

G C W X O K H V V

L D A D F T E Y D

O O Y V B R M C O

A P M S B A L L G

AWWW NUTS!

Draw a line from the ➡ to the finish.

FINISH

ANCIENT ART

Draw a line from the ➡ to the finish.

FINISH

HOT WOOL

Connect the dots from **1** to **20**.
Color the picture.

HIDE AND SEEK

Find and circle the hidden pictures.

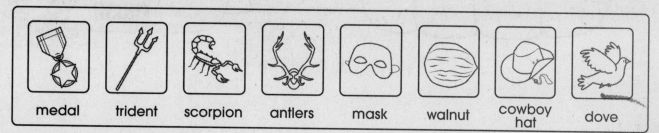

medal   trident   scorpion   antlers   mask   walnut   cowboy hat   dove

THE GREAT SPHINX

Draw a line from the ➡ to the finish.

FINISH

PARACHUTING

Connect the dots from 1 to 20.
Color the picture.

Look at the word list. Circle the words in the puzzle.

KITE	RUN
SLIDE	TREE
KIDS	FUN
SWING	PLAY

M X M K X W C L W
O Z U I N G J F R
V P R T Y M K M U
T R E E F U N E N
S W I N G F G Y N
K Z I S L I D E J
I D G H B M W G N
D L Y P L A Y D Z
S R N X I Q C J X

Look at the word list. Circle the words in the puzzle.

IGLOO	ICICLE
SNOWBALL	COLD
SNOWMAN	MITTEN
SCARF	SKI
SLED	HAT

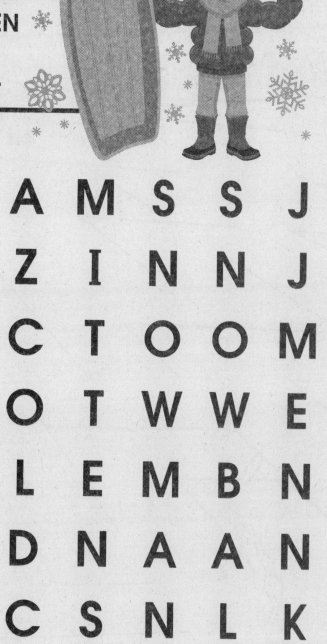

```
H V S W A M S S J
G P L H Z I N N J
R D E A C T O O M
E S D T O T W W E
I C I C L E M B N
S A D F D N A A N
B R L X C S N L K
Q F R X U K J L F
I G L O O I T J U
```

SEARCHING THE SWAMP

Draw a line from the ➡ to the finish.

FINISH

A DESERT RIDE

Draw a line from the ➡ to the finish.

FINISH

HALL OF MIRRORS

Find and circle the hidden pictures.

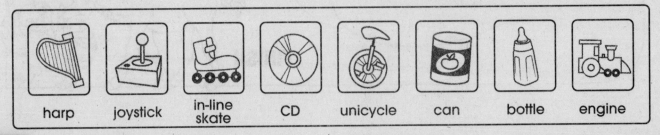

| harp | joystick | in-line skate | CD | unicycle | can | bottle | engine |

A PRETTY FLOWER

Connect the dots from **1** to **20**.
Color the picture.

Look at the word list. Circle the words in the puzzle.

RABBIT	SKUNK
FOX	RAT
PIGEON	SQUIRREL
MOUSE	SPARROW
CHIPMUNK	RACCOON

X C H I P M U N K

B S R G I R F N F

P Q A R G A P G O

R U B A E C N K X

B I B T O C I K R

S R I I N O V J S

Q R T R M O U S E

N E S K U N K G I

E L S P A R R O W

Look at the word list. Circle the words in the puzzle.

TOWEL	SEASHELL
SANDALS	SWIM
SAND	BALL
FRISBEE®	WATER
SUNBLOCK	UMBRELLA

U P B A L L L B S T

D S I U V S F E O

J U Z M N W R A W

V N Z B T I I S E

W B S R V M S H L

A L A E T N B E D

T O N L N Z E L J

E C D L W S E L P

R K S A N D A L S

STRIPES ARE IN!

Find and circle the hidden pictures.

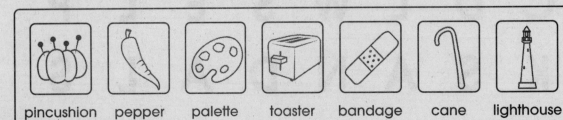

pincushion   pepper   palette   toaster   bandage   cane   lighthouse   pillow

BUSY MARKET

Draw a line from the ➡ to the finish.

FINISH

WHALE OF A TALE

Connect the dots from **1** to **20**.
Color the picture.

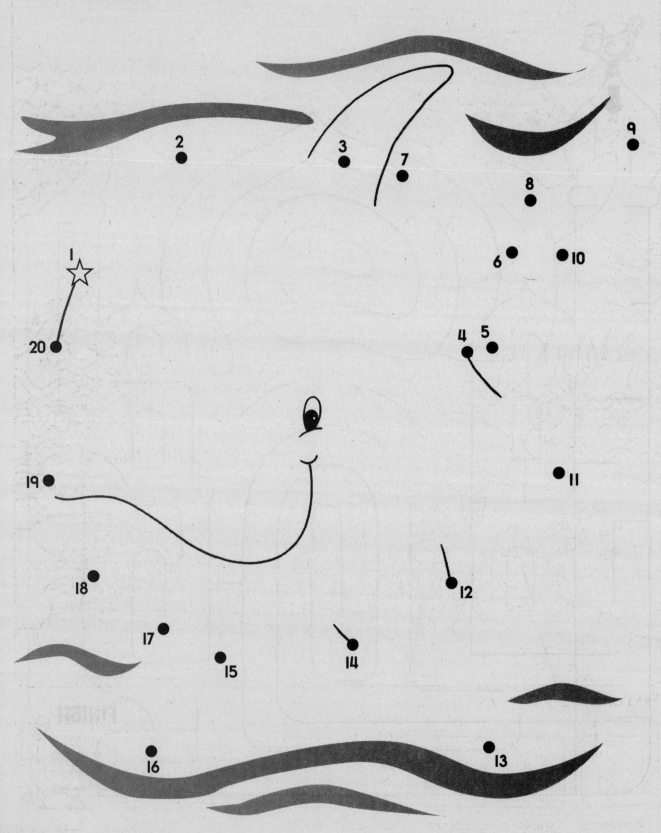

WHALES ON THE GO

Find and circle the hidden pictures.

| flamingo | shovel | dragonfly | spider | necktie | coat | lollipop | tulip |

ELEPHANT PAL

Draw a line from the ➡ to the finish.

FINISH

SPACE DISCOVERIES

Find and circle the hidden pictures.

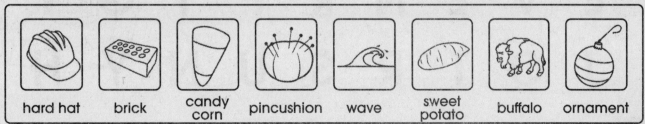

hard hat   brick   candy corn   pincushion   wave   sweet potato   buffalo   ornament

Look at the word list. Circle the words in the puzzle.

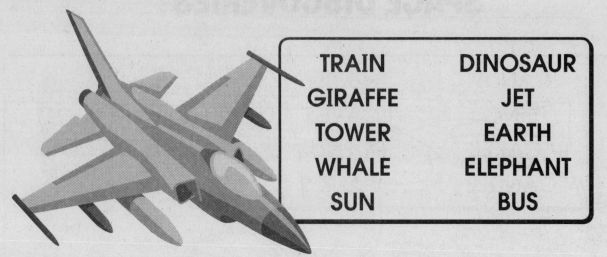

TRAIN	DINOSAUR
GIRAFFE	JET
TOWER	EARTH
WHALE	ELEPHANT
SUN	BUS

X H G I R A F F E
G D I N O S A U R
E L E P H A N T X
W M Z T T Q R Z Y
H U C R O J Z G E
A P U A W B U S A
L P J I E D T O R
E V E N R F T G T
J O T R S U N Y H

Look at the word list. Circle the words in the puzzle.

GIFT	FUN
CANDY	FAMILY
SING	CARDS
CAKE	FRIENDS
CANDLE	GAMES

Q W C A K E G B D

K C K C J E E V V

B A O A C A N D Y

S R K N G G F K V

I D L D R I U C W

N S A L T F N N H

G A M E S T O T G

W H F R I E N D S

H W U F A M I L Y

LAND HO!

Connect the dots from 1 to 20.
Color the picture.

PHONE CALL

Connect the dots from **1** to **20**.
Color the picture.

FLYING HOME

Draw a line from the ➡ to where each bird lives.

WELCOME HOME!

Find and circle the hidden pictures.

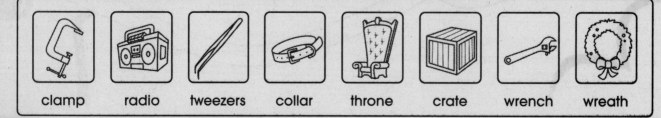

clamp radio tweezers collar throne crate wrench wreath

BREEZY DAY

Draw a line from the ➡️ to the finish.

FINISH

Look at the word list. Circle the words in the puzzle.

GLUE	CRAYON
GLITTER	BEADS
YARN	BRUSH
MARKER	PEN
TAPE	PAPER

Q P G L I T T E R T R

G E E Z H P I M L

M N M M T A H G B

F C S A A P S L R

B R B R P E H U U

Q A E K E R O E S

R Y A E K S T Q H

C O D R D C T G D

R N S Y A R N N D

Look at the word list. Circle the words in the puzzle.

EEL
OTTER
DOLPHIN
WHALE
STINGRAY

TURTLE
SHARK
FROG
MANATEE
OCTOPUS

E	G	O	F	Q	D	M	S	M
S	T	C	R	O	S	A	E	L
H	U	T	O	I	P	N	Z	G
A	R	O	G	W	H	A	L	E
R	T	P	B	V	L	T	X	O
K	L	U	J	M	L	E	L	T
Q	E	S	D	N	E	E	L	T
S	T	I	N	G	R	A	Y	E
H	D	O	L	P	H	I	N	R

AN AFTERNOON IN THE WORKSHOP

Find and circle the hidden pictures.

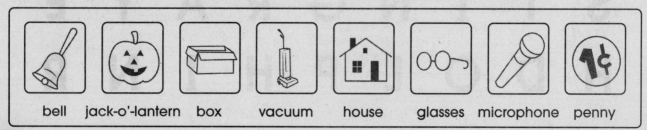

bell   jack-o'-lantern   box   vacuum   house   glasses   microphone   penny

PLAYING ON THE ICE

Draw a line from the ➡ to the finish.

FINISH

AT THE AIRPORT

Draw a line from the ➡ to the finish.

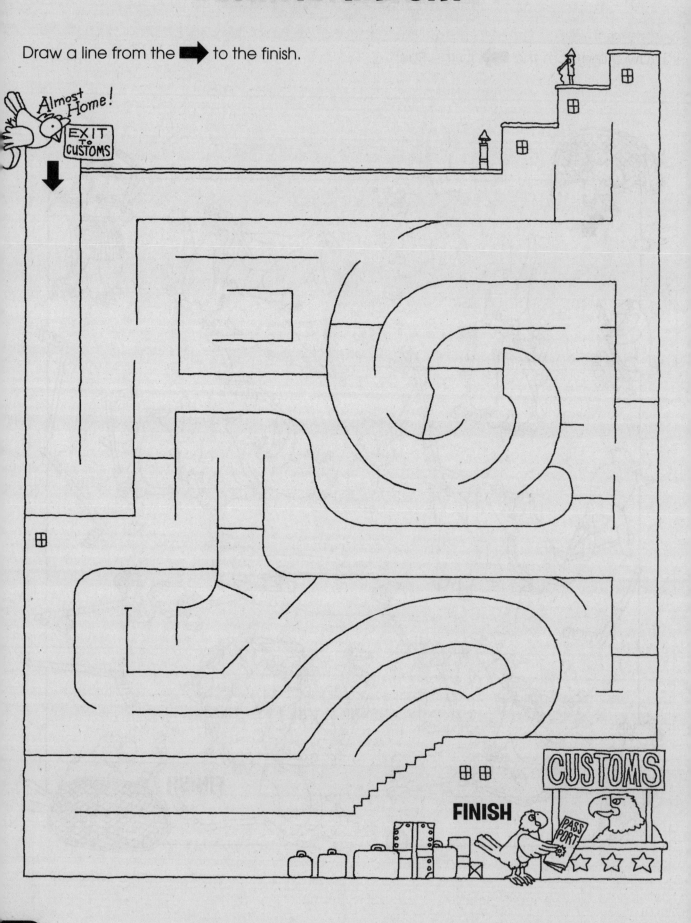

UNDERWATER ADVENTURE

Find and circle the hidden pictures.

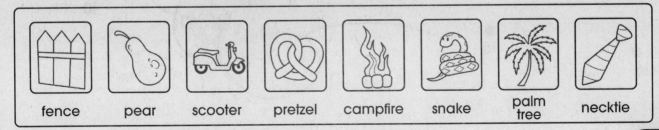

| fence | pear | scooter | pretzel | campfire | snake | palm tree | necktie |

CLASS 3 RAPIDS

Connect the dots from **1** to **20**.
Color the picture.

THE FINISHING TOUCH

Connect the dots from 1 to 20.
Color the picture.

Look at the word list. Circle the words in the puzzle.

BADGE	FIRE
SIREN	HOSE
HELMET	AXE
COAT	BOOTS
LADDER	FIREFIGHTER

F C O A T D W J S V X
I F E U S B B K F E I
R I H E L M E T B S O
E R X J O X N O O I L
F E T X R Y Q J O R A
I Y B F J F P Q T E D
G R A G S P B W S N D
H C D V H H Q X O J E
T B G Q K O N N D G R
E K E D K S Z A X E Q
R X Y T L E B P Y G A

Look at the word list. Circle the words in the puzzle.

TREES	RAKE
APPLE	PUMPKIN
WEB	SPIDER
LEAVES	CIDER
HAY	TURKEY

Y J F P H L L R Q

T T T U U Y E A H

U R C M A A A K R

R E Z P P P V E Q

K E V K P W E B C

E S V I L U S I I

Y R J N E T T T D

Y H A Y I G G X E

G G S P I D E R R

THE BIG CHEESE

Find and circle the hidden pictures.

doughnut　　candy　　wheelbarrow　　slipper　　megaphone　　barn　　lotion　　wallet

126

PARTHENON PATH

Draw a line from the ➡ to the finish.

FINISH

WEAVE YOUR WAY

Draw a line from the ➡ to the finish.

FINISH

OUT ON A LIMB

Find and circle the hidden pictures.

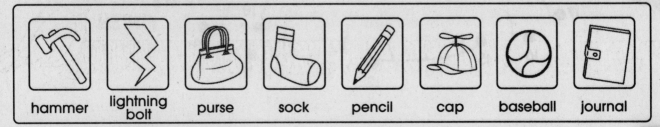

hammer lightning bolt purse sock pencil cap baseball journal

IN THE WOODS

Connect the dots from **1** to **20**.
Color the picture.

TROPICAL FISH

Draw a line from the ➡ to the finish.

FINISH

Look at the word list. Circle the words in the puzzle.

PAINTING	BONES
SCULPTURE	FOSSIL
COSTUME	FURNITURE
MUMMY	STATUE
PHOTOS	DINOSAUR

```
S E P M W O J L L S
C L A U B O N E S T
U I M H F P E F A
L N N M X O H D A T
P X T Y U S O K U U
T C I C O S T U M E
U Q N T C I O S J K
R C G S R L S J F Y
E D I N O S A U R B
F U R N I T U R E M
```

Look at the word list. Circle the words in the puzzle.

BUG   BALLOON
BAT   PLANE
BLIMP   KITE
BIRD   HELICOPTER

I K W S W E B U D Y
D I U L I P L I C A
M T X O B L I M T Y
C E S Y D A M F L O
G P N Y T N P F B P
B U G D U E Y D A V
H L Y T B I R D T B
H E L I C O P T E R
L P S V V J L D U S
Q U B A L L O O N W

DOWN UNDER

Draw a line from the ➡ to the finish.

CHAMELEON

Connect the dots from **1** to **25**.
Color the picture.

A BOWL OF FUN

Find and circle the hidden pictures.

| teddy bear | peanut | barrel | dress | necklace | pipe | bat | cookie |

RUSSIAN WINTER

Draw a line from the ➡ to the finish.

FINISH

THE GREAT WALL

Draw a line from the ➡ to the finish.

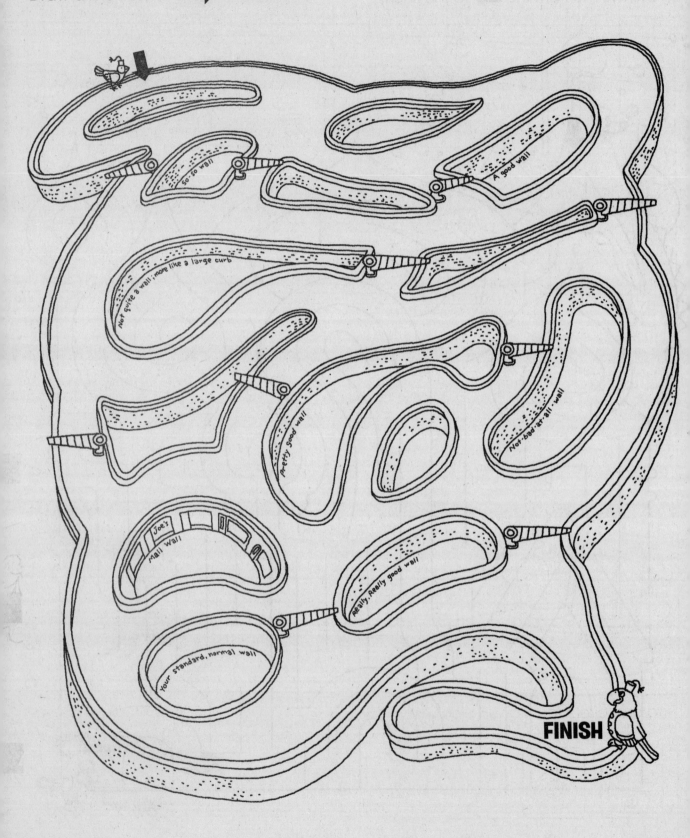

So-so wall

A good wall

Not quite a wall; more like a large curb

Pretty good wall

Not-bad-at-all wall

Joe's Mall Wall

Really, Really good wall

Your standard, normal wall

FINISH

RUB-A-DUB-DUB!

Find and circle the hidden pictures.

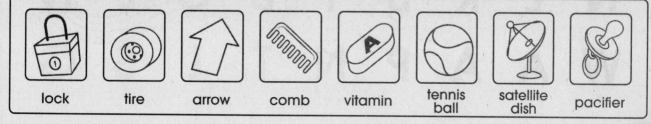

lock   tire   arrow   comb   vitamin   tennis ball   satellite dish   pacifier

Look at the word list. Circle the words in the puzzle.

ZEBRA   YOGURT
YAK   YES
ZING   YOUNG
XYLOPHONE   YARN

X Y L O P H O N E
F Y A K S A T A I
W J F C Q Q A C H
Y O U N G Y M P T
Y R Z Y O G U R T
A O E Q M F Z P Z
R Y B P H S P Y I
N L R B T B O E N
W A A P N T L S G

Look at the word list. Circle the words in the puzzle.

BEANS   VEGETABLES   WALK
MILK   MEAT   WATER
SLEEP   GRAINS
JOG   FRUITS

W V J J B V I D E C
L K P H V E F P D X
C W A L K G E A C X
M E A T B E A N S U
M N J O G T F S G A
W A T E R A R L R K
X M W C E B U E A U
A I V I Y L I E I J
G L F Q Q E T P N I
Z K O R I S S E S U

HAPPY BIRTHDAY TO YOU!

Connect the dots from **1** to **25**.
Color the picture.

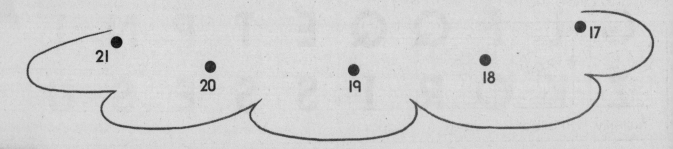

IN THE BARNYARD

Find and circle the hidden pictures.

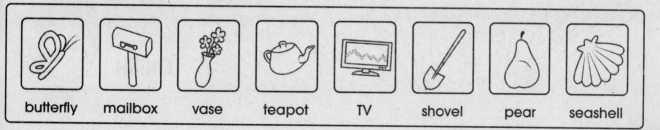

butterfly   mailbox   vase   teapot   TV   shovel   pear   seashell

BAMBOO FOREST

Draw a line from the ➡ to the finish.

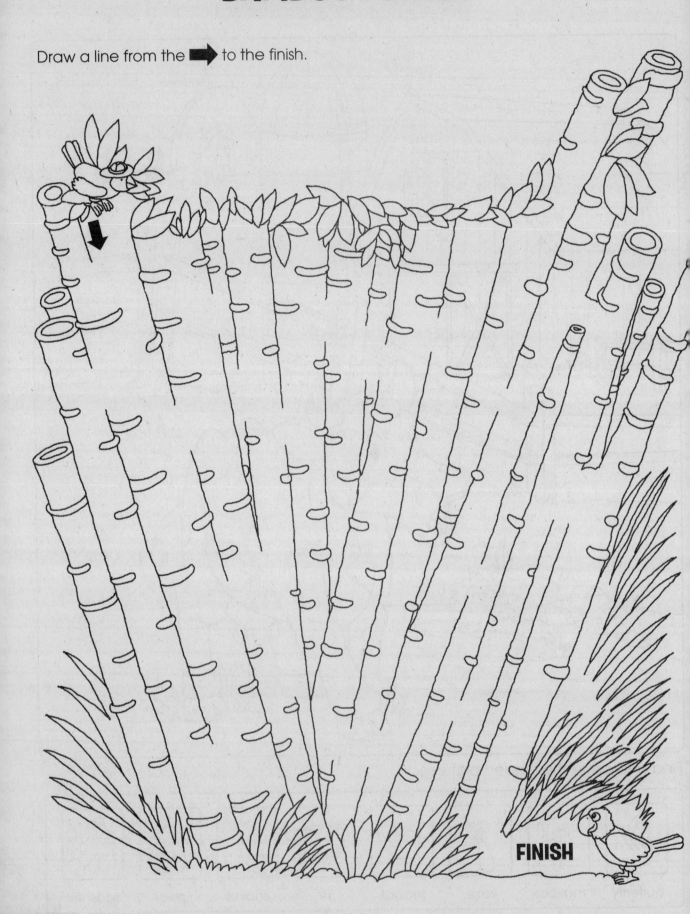

FINISH

MIGHTY MOUNTAINS

Draw a line from the ➡ to the finish.

FINISH

RIVER RAPIDS

Connect the dots from 1 to 25.
Color the picture.

FLYING HIGH

Connect the dots from **1** to **25**.
Color the picture.

Look at the word list. Circle the words in the puzzle.

VIOLET   VENT
VOLCANO   VEGETABLE
VIEW   VULTURE
VACUUM   VALUE

L W R V K V G V T
D V T O V I V E L
T U W L A O E G D
O L B C C L N E M
A T V A U E T T D
Q U L N U T D A K
P R G O M B J B I
M E A Y W F Z L B
V A L U E V I E W

Look at the word list. Circle the words in the puzzle.

WALL   WIG
WALRUS   WILLOW
WHALE   WHITE
WAG   WISH

J S O C O Y G W D
H W H I T E W A X
W I H J N E I L L
A L X R W Y G L C
L L B E A W I S H
R O U M G S T I D
U W F H W H A L E
S M O V P P T J N
L E D S N P U Q A

UNDERSEA FUN

Find and circle the hidden pictures.

 hamburger

 fire

 paintbrush

 ribbon

 fire extinguisher

 football

 snail

 submarine

EXPLORING THE PYRAMIDS

Connect the dots from 1 to 25.
Color the picture.

STONEHENGE

Draw a line from the ➡ to the finish.

FINISH

Look! Toasthenge!

PUPPY PARADE

Find and circle the hidden pictures.

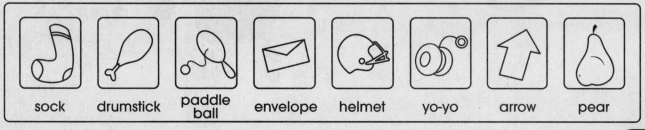

sock   drumstick   paddle ball   envelope   helmet   yo-yo   arrow   pear

BLACK & WHITE

Connect the dots from 1 to 25.
Color the picture.

HOP-A-LONG

Connect the dots from **1** to **25**.
Color the picture.

2
3
1
4
5
6
7
8
14
13
17
15
9
16
10
11
18
12
19
25
20
23
24
22
21

Look at the word list. Circle the words in the puzzle.

```
T  T  O  O  T  H  D  Q  A
I  C  N  C  P  V  T  E  A
C  J  L  W  G  B  A  A  T
K  C  V  E  T  A  B  L  E
E  K  Q  V  K  C  T  V  G
T  U  L  I  P  W  R  P  E
J  Q  O  L  I  L  U  E  T
T  O  A  S  T  L  N  S  U
B  W  M  E  I  Q  K  I  B
```

Look at the word list. Circle the words in the puzzle.

UNICYCLE	UNCLE
UP	UNDER
UNIFORM	UMBRELLA
UMPIRE	UNICORN

U N C L E U D S U

I C W G O M G U N

U N D E R B R P I

N U M P I R E N C

I I K J H E L Y O

F Z X R A L N S R

O A C A T L V F N

R V W B C A G N Z

M U N I C Y C L E

ROOFTOP LANDING

Find and circle the hidden pictures.

couch | cinnamon roll | cheese | boxing glove | juice box | hourglass | cell phone | clover

PATH THROUGH THE PAGODA

Draw a line from the ➡ to the finish.

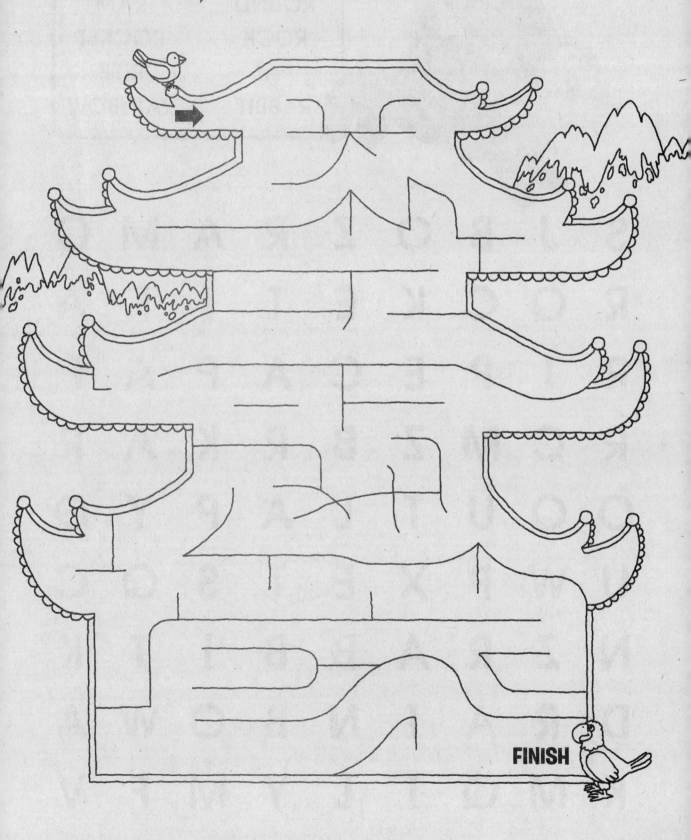

FINISH

Look at the word list. Circle the words in the puzzle.

ROUND	RAM
ROCK	ROCKET
RAT	RIPE
RABBIT	RAINBOW

S J B O Z R A M O

R O C K E T I F A

R I P E C A P A P

R C M Z B R K A R

O Q U T L A P Y O

U W P X E T S Q C

N Z R A B B I T K

D R A I N B O W A

K M Q I L Y M F V

Look at the word list. Circle the words in the puzzle.

SWAN   STRING   SAD
STONE   STORE   SPOON
SKUNK   SAIL

O I O Q S M G S P
Q I Z J K N A T Q
V S A D U E P R J
H Z U Q N S B I S
S P U Q K A A N P
R H K Q L I P G O
L S W A N L K Q O
L X S T O R E R N
Y J S T O N E G A

SURF'S UP!

Find and circle the hidden pictures.

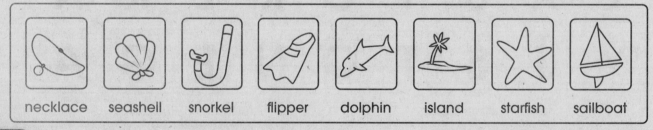

necklace   seashell   snorkel   flipper   dolphin   island   starfish   sailboat

FAIRY DUST

Find and circle the hidden pictures.

| home plate | glue | watermelon | pizza slice | music player | footprint | lightbulb | puffin |

DIVING FOR TREASURE

Connect the dots from 1 to 25.
Color the picture.

RACE TO THE FINISH

Draw a line from the ➡ to the finish.

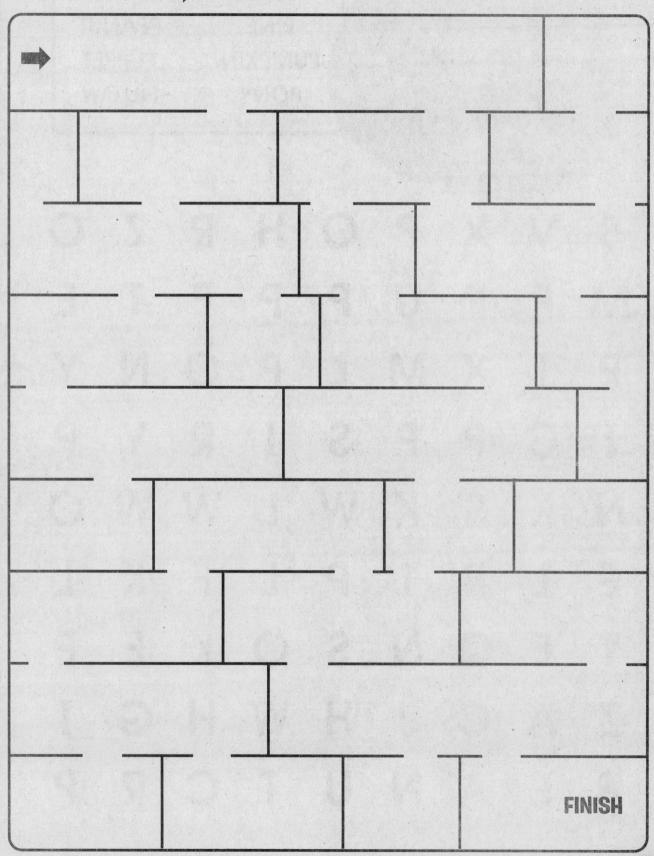

FINISH

Look at the word list. Circle the words in the puzzle.

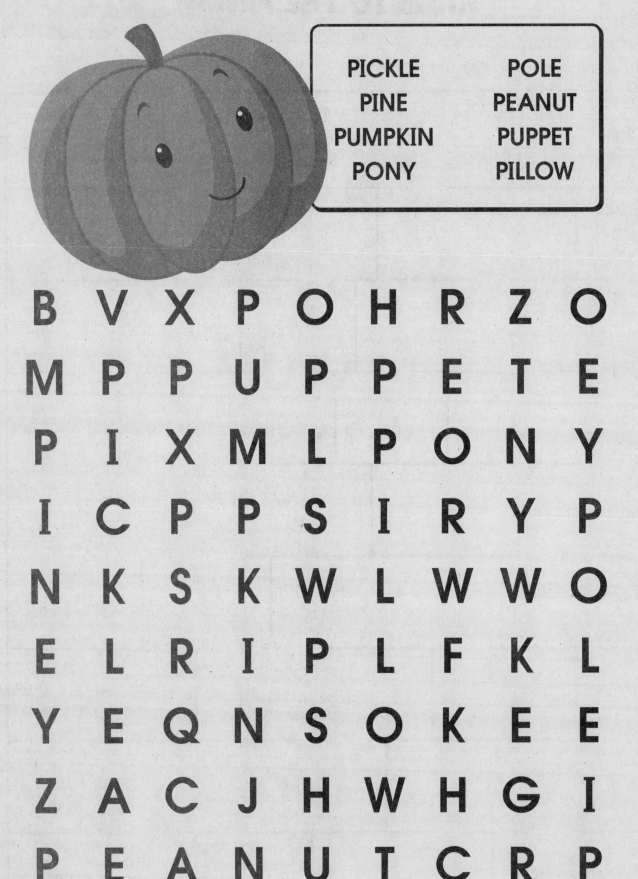

PICKLE   POLE
PINE   PEANUT
PUMPKIN   PUPPET
PONY   PILLOW

B V X P O H R Z O
M P P U P P E T E
P I X M L P O N Y
I C P P S I R Y P
N K S K W L W W O
E L R I P L F K L
Y E Q N S O K E E
Z A C J H W H G I
P E A N U T C R P

Look at the word list. Circle the words in the puzzle.

QUARTZ   QUILL
QUILT   QUIET
QUIVER   QUAD
QUICK   QUACK

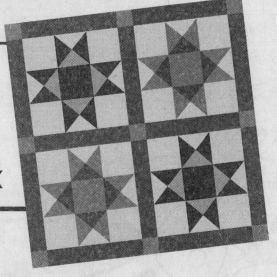

Q A Z T Q U I C K

Q U I E T K Q I T

D J L M B T U M X

U Q D U F N A Y Z

Q U I V E R R S M

G A S C I E T A Q

I C M V U Z Z S U

O K I Q U I L L A

U Q U I L T Q L D

SPRINGTIME

Draw a line from the ➡ to the finish.

FINISH

TROPICAL BIRD

Connect the dots from **1** to **20**.
Color the picture.

SAILING AROUND THE SEA

Connect the dots from 1 to 20.
Color the picture.

1

2

3

4

15

16

5

17

18

6

19

7

20

9

13

14

8

12

11

10

DRIVING ALONG

Find and circle the hidden pictures.

baseball cap   cucumber   pliers   book   surfboard   bandage   hockey stick   box

Look at the word list. Circle the words in the puzzle.

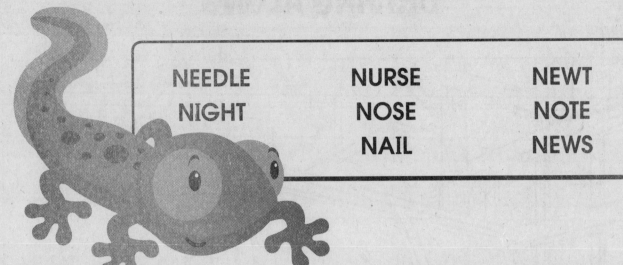

NEEDLE	NURSE	NEWT
NIGHT	NOSE	NOTE
	NAIL	NEWS

B M J V P A D O N
F F I N D K A R O
R J N E E D L E T
T R U N O S E N E
W L R N E W S I E
B I S N E W T G P
L K E A V J O H E
K L Y I H E P T C
M C R L J K S O Z

Look at the word list. Circle the words in the puzzle.

OCTOPUS   OWL
OTTER   OLD
OSTRICH   ORDER
OLIVE   ORANGE

M S N B N C Z D X
X S M O I E R S O
K O Z R S P O Y H
K S H D H O C O B
O T T E R M T R S
L R E R H E O A J
I I C V S O P N O
V C K K L L U G W
E H A L N D S E L

SMOOTH SAILING

Draw a line from the ➡ to the finish.

FINISH

WHERE IS MY BONE?

Draw a line from the ➡ to the finish.

DINOSAUR MINIATURE GOLF

Find and circle the hidden pictures.

apple   chair   tulip   bee   bird   barrel   hat   boot

THIS WAY

14

necktie   palette   pie slice   horn   cowboy hat   diamond   jelly bean   mushroom

Look at the word list. Circle the words in the puzzle.

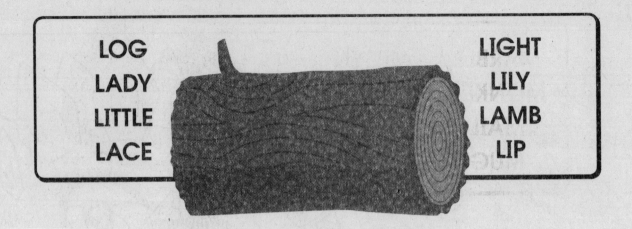

LOG
LADY
LITTLE
LACE

LIGHT
LILY
LAMB
LIP

S L I G H T T G K

N H J H V Q T P W

L E L A D Y P R E

L I T T L E K P L

J K B J L A M B A

P L I L Y L M S C

O W L U L G H M E

N A I T O V O K V

Z C P Q G O U Q T

Look at the word list. Circle the words in the puzzle.

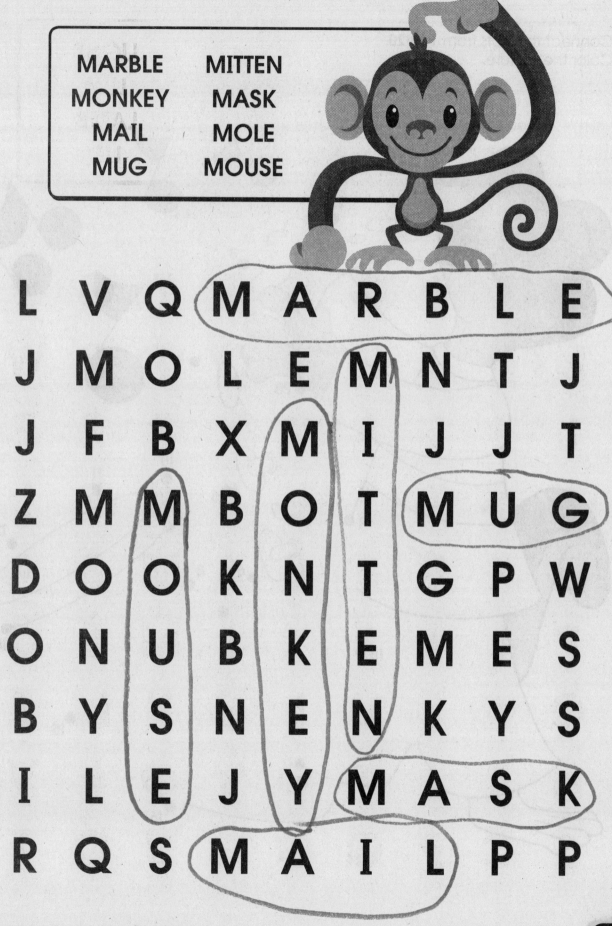

MARBLE	MITTEN	
MONKEY	MASK	
MAIL	MOLE	
MUG	MOUSE	

```
L V Q M A R B L E
J M O L E M N T J
J F B X M I J J T
Z M M B O T M U G
D O O K N T G P W
O N U B K E M E S
B Y S N E N K Y S
I L E J Y M A S K
R Q S M A I L P P
```

LOUNGE LIZARD

Connect the dots from **1** to **20**.
Color the picture.

FAMILY CAR RIDE

Draw a line from the ➡ to the finish.

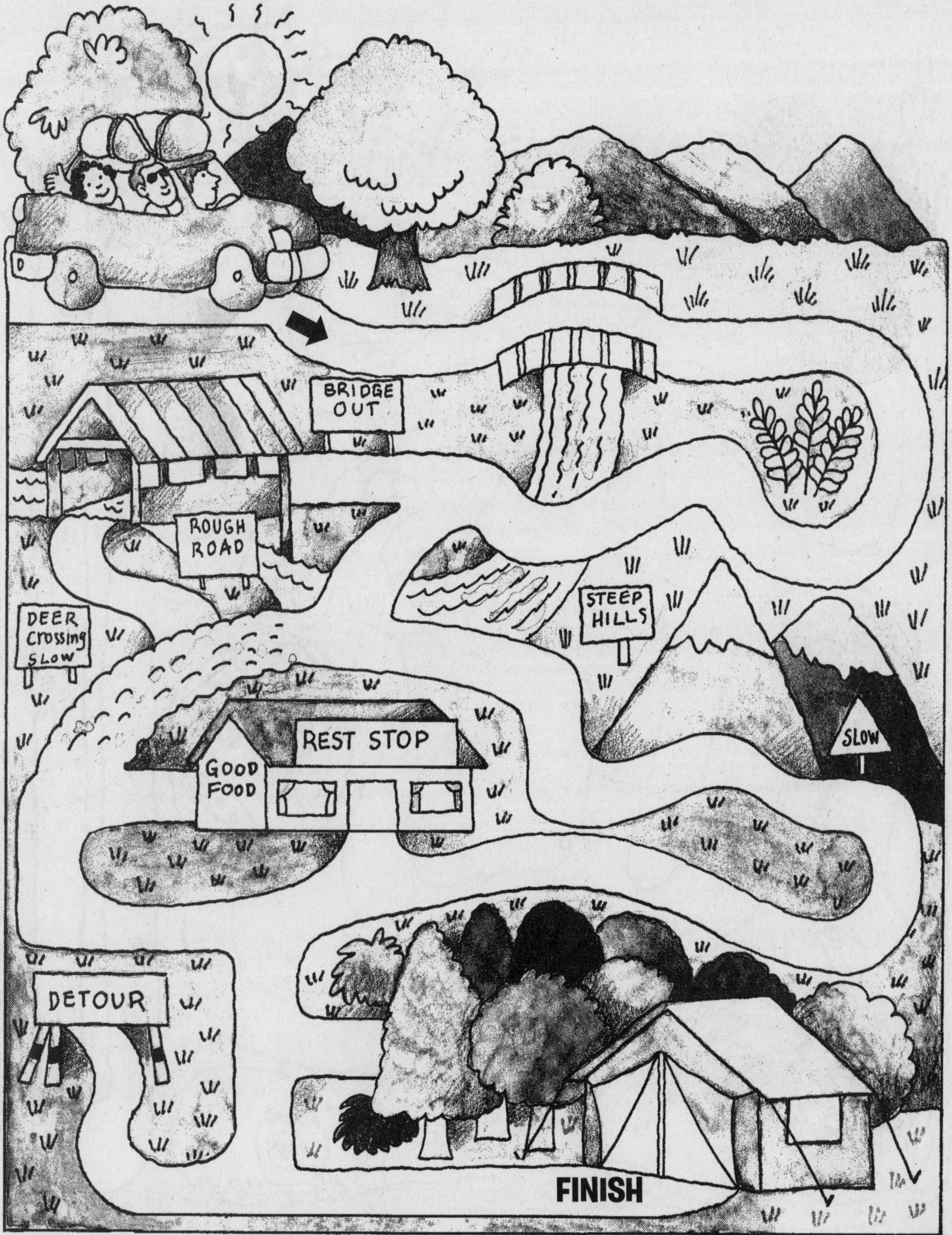

BRIDGE OUT

ROUGH ROAD

DEER Crossing SLOW

STEEP HILLS

SLOW

GOOD FOOD

REST STOP

DETOUR

FINISH

LOOKING FOR LUNCH

Draw a line from the ➡ to the finish.

FINISH

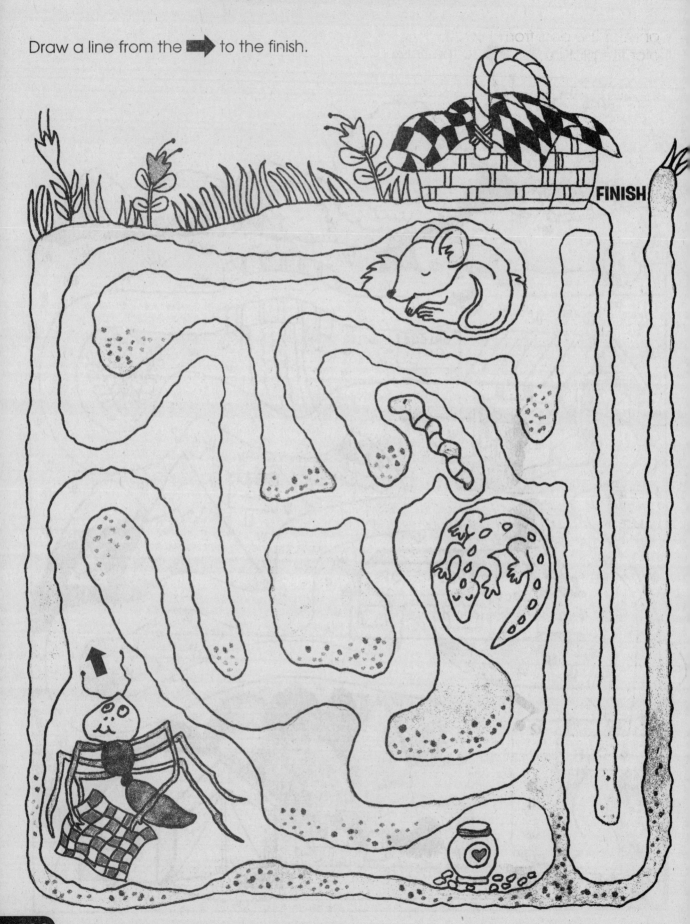

FLYING AROUND

Connect the dots from 1 to 20.
Color the picture.

OUT FOR A HOP

Find and circle the hidden pictures.

| paintbrush | bird | eggplant | taco | credit card | party hat | watch | guitar |

CLEANING FUN!

Connect the dots from **1** to **20**.
Color the picture.

Look at the word list. Circle the words in the puzzle.

JAGUAR   JACKS
JOY   JEEP
JAR   JUICE
JUG   JAM

H R D W H D G Z W
C E K X X K A Y T Y
J V U K M F J O Y
A F T Q R C D V J
M J A G U A R J A
D B R F F T H A C
M C Y J E E P R K
U J U I C E V F S
O F N M W J U G N

Look at the word list. Circle the words in the puzzle.

KIT	KOALA
KETTLE	KISS
KANGAROO	KID
KITCHEN	KICK

K I D Y K I S S H

K I T K I C K K L

A X L H K D L I T

N U B H E F N T X

G D M W T M E C K

A D T F T Y I H W

R K O A L A H E Y

O T V W E Y R N P

O K L A K I P T D

FLYING HOME

Draw a line from the ➡ to the finish.

FINISH

WELCOME TO MY WEB

Draw a line from the ➡ to the finish.

FINISH

ON THE FRONT PORCH

Find and circle the hidden pictures.

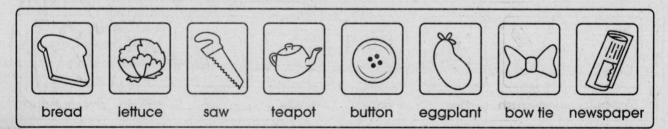

bread   lettuce   saw   teapot   button   eggplant   bow tie   newspaper

pretzel   toothbrush   bee   sock   bottle   mug   cloud   microphone

Look at the word list. Circle the words in the puzzle.

HONEY	HOP
HIVE	HOT
HUT	HERO
HAMMER	HORSE

F P W Q V X H O P

H H O N E Y I U C

O X H E R O S M R

T U B Q F U O N N

K E B J I H A N J

H O R S E G L W L

H A M M E R H D F

U T C P X A U J E

H I V E G X T O N

Look at the word list. Circle the words in the puzzle.

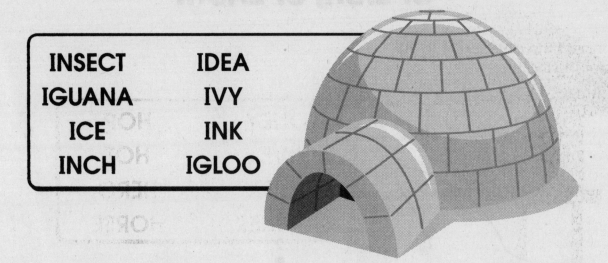

INSECT	IDEA
IGUANA	IVY
ICE	INK
INCH	IGLOO

```
I D E A I G L O O
R T B I I I N K K
K R J N G R Y A L
B S I S U Q B B V
V R G E A R G W P
I V Y C N H I C E
W M A T A S R Y W
D K M J B I N C H
Y G L L H Q A T F
```

SPLISH, SPLASH!

Connect the dots from **I** to **20**.
Color the picture.

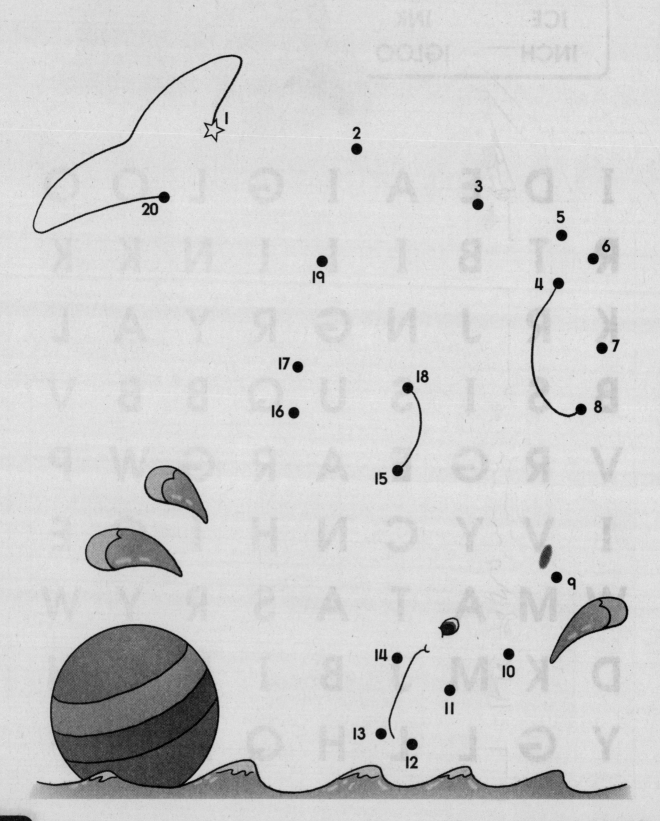

CAMPING TRIP

Draw a line from the ➡ to the finish.

FINISH

MAKING SOUP

Connect the dots from **1** to **25**.
Color the picture.

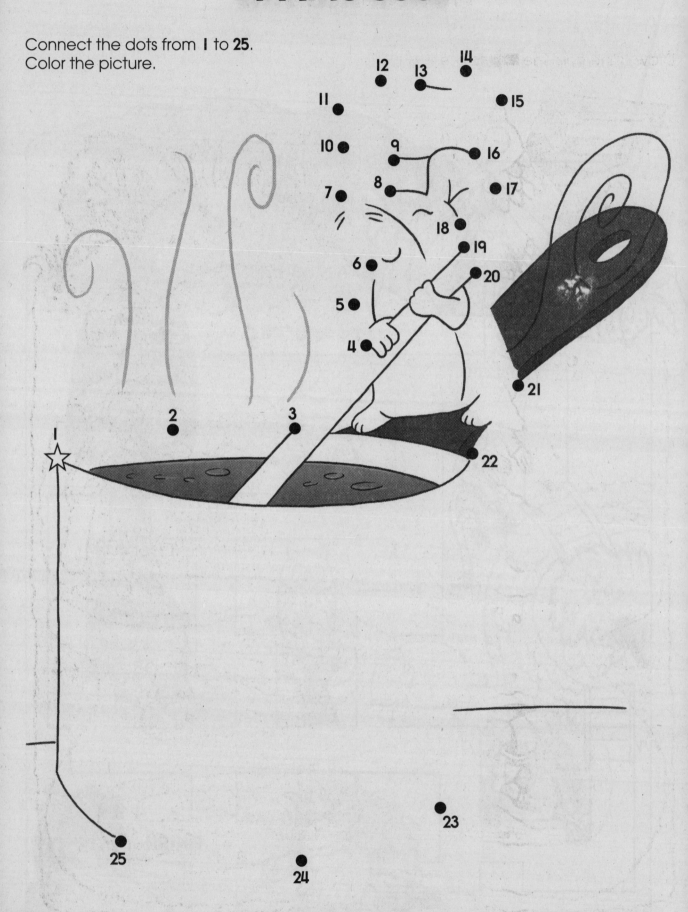

RUNNING HOME

Draw a line from the ➡ to the finish.

SCHOOL PLAY

Find and circle the hidden pictures.

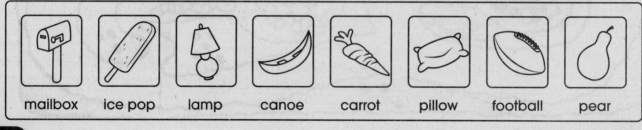

| mailbox | ice pop | lamp | canoe | carrot | pillow | football | pear |

HIDE AND SEEK

Connect the dots from 1 to 25.
Color the picture.

©School Zone Publishing Company 12502

Look at the word list. Circle the words in the puzzle.

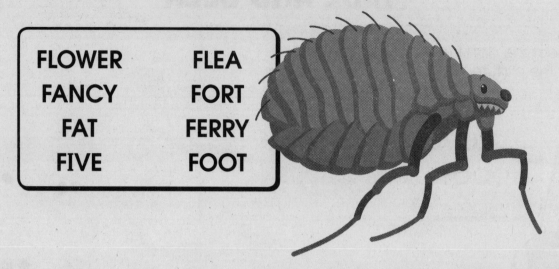

FLOWER   FLEA
FANCY   FORT
FAT   FERRY
FIVE   FOOT

F F F D X Z F B F

I A L P N F O R T

V N O M M A O K N

E C W Q O O T K N

E Y E K K I I O N

P M R F R R F J W

K I F L E A A G D

F E R R Y I T W E

M O D A B M D N Q

Look at the word list. Circle the words in the puzzle.

GRADE   GOWN
GHOST   GIGGLE
GLOVE   GROOM
GOOSE   GARDEN

```
N E C G A C O J Y B
W I Q V T R P L N P
T C G H O S T G S F
I J C G G B C L F V
O D T R R S S G O A V
G E T A O G O V W M
G H B D O X O E B P
O Q S E M B S J W I
W C G A R D E N Y Q
N Z B G I G G L E D
```

ZOOKEEPER

Draw a line from the ➡ to the finish.

FINISH

LOST PUPPY

Draw a line from the ➡ to the finish.

FINISH

THAT HOUSE LOOKS HAUNTED!

Find and circle the hidden pictures.

wrench   bell   battery   cucumber   top hat   moon   purse   ghost

baseball cap   baseball   spoon   seeds   spider   cat   radish   rolling pin

Look at the word list. Circle the words in the puzzle.

DEER	DIVE
DANCE	DONUT
DECK	DAISY
DIG	DOVE

P D D O N U T M D
X F U N V J P E O
D W O Q W M A W V
E V U M U M N C E
C D A I S Y D S D
K S D I V E A D E
E O G K P N N I E
I R U D W R C G R
M M V E P K E H L

Look at the word list. Circle the words in the puzzle.

EGG   EASY
EMU   ELF
ELEPHANT   EAGLE
EAT   EIGHT

E Y C X W H A T J

I E L E P H A N T

G N R A W Y O L E

H O R X C V D B A

T E L F H H B L G

S O B G I D F Y L

A Z E Y E G G E E

F A A H M V K K O

E I T N U E A S Y

FINDING MY FISHY FRIENDS

Draw a line from the ➡ to the finish.

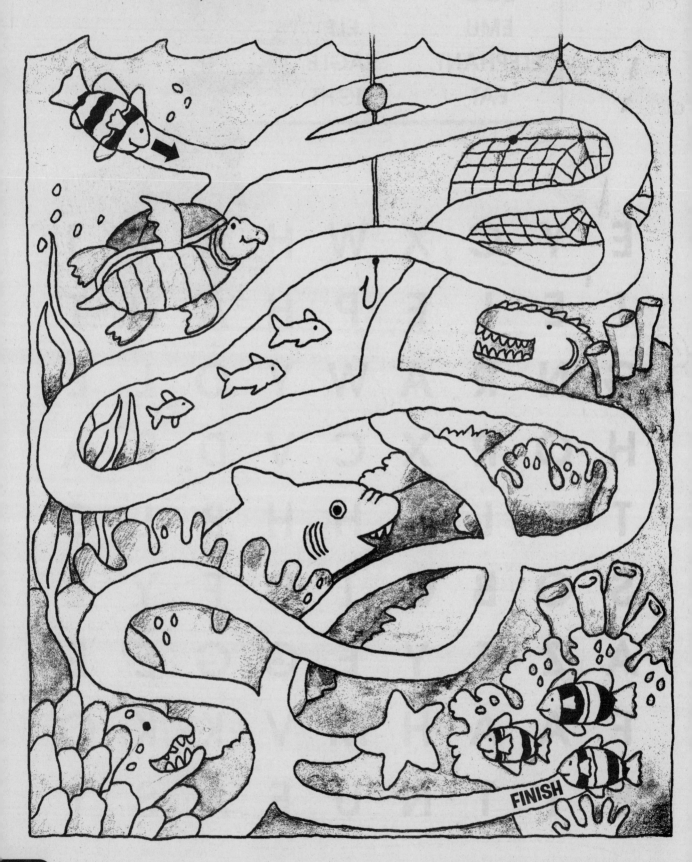

FINISH

WHERE'S THE FIRE?

Connect the dots from 1 to 25.
Color the picture.

SWEET TREAT

Connect the dots from **1** to **25**.
Color the picture.

PLAYING DOCTOR

Find and circle the hidden pictures.

| ant | couch | popcorn | plate | pot | cloud | lock | flower |

Look at the word list. Circle the words in the puzzle.

BLACK   BROWN
BARN   BLUE
BEETLE   BASKET
BEAR   BEAN

```
B I B B B L A C K P
A O B R O W N O A
R C X A Z B K O H
N S H X B E A R T
I R Y M U Q B B D
B A S K E T E K A
B E E T L E A H F
L S V S Z K N L F
N O R B B L U E K
```

Look at the word list. Circle the words in the puzzle.

CAP   CURL
CROWN   COTTAGE
CLOWN   CROW
COMB   CACTUS

T C H F K W C L N
I L C O T T A G E
K O P N Z O P I G
C W U C A C T U S
C N X P W X L L Z
W C R O W B N W H
H A H R K C O M B
E P C R O W N V K
Z D U C U R L Q G

PLAYING BALL

Connect the dots from **1** to **25**.
Color the picture.

VISITING FRIENDS

Draw a line from the ➡ to the finish.

FINISH

MAKING A MONSTER MOVIE

Find and circle the hidden pictures.

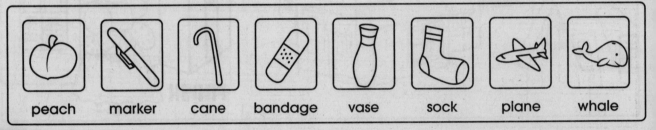

peach   marker   cane   bandage   vase   sock   plane   whale

MOVIE:
SWAMP MONSTER 3

DATE:
JULY 3

DIRECTOR:
D. McGus

#
0621

SCENE:
M24

door	bell	helicopter	boxing glove	inner tube	tooth	soap	cinnamon roll

Look at the word list. Circle the words in the puzzle.

HOLLY	COLD
MITTENS	SNOW
COAT	SCARF
REINDEER	ICICLES
SNOWMEN	BELLS

W P U T Q E C S I
D Y C L T Y O S C
S B E L L S A N I
C O L D J P T O C
A H O L L Y R W L
R M I T T E N S E
F N F G L I Q D S
Y R E I N D E E R
R S N O W M E N E

Look at the word list. Circle the words in the puzzle.

APE
ANT
ALLIGATOR
ARROW

ACORN
APPLE
ANGEL
ANCHOR

A D O A C O R N A N
N J L L A O Z S L
C A L D P P G C L
H N M J P C I R I
O T O X L X Z A G
R B D I E X G R A
P H F E A P E R T
P D V C L R X O O
F A N G E L F W R

WALKING HOME

Draw a line from the ➡ to the finish.

FINISH

TIRE SWING

Connect the dots from 1 to 25.
Color the picture.

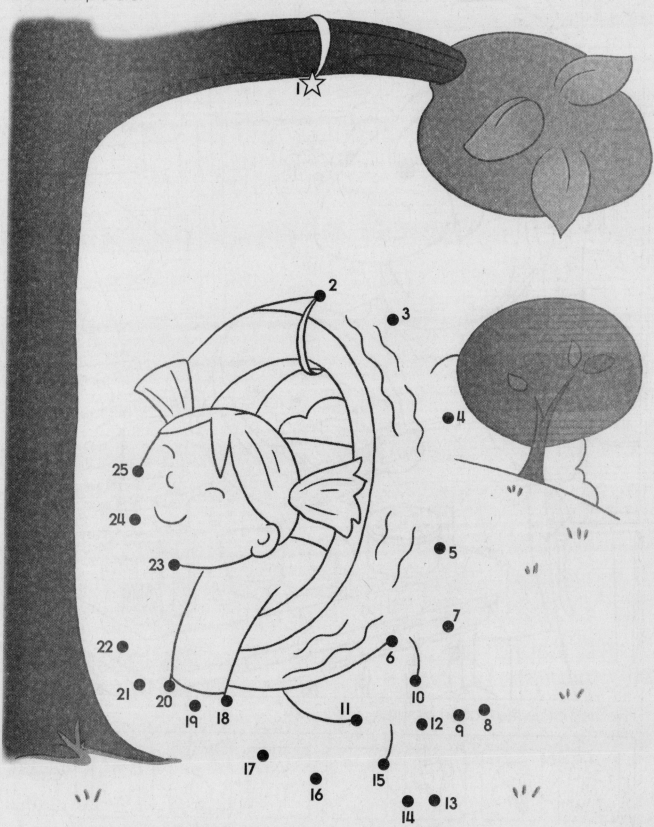

WHO WOULD TRY FLY PIE?

Find and circle the hidden pictures.

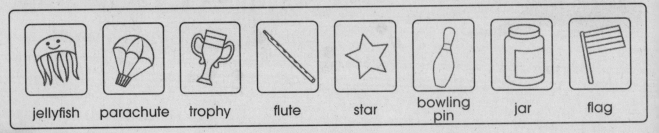

| jellyfish | parachute | trophy | flute | star | bowling pin | jar | flag |

SEARCHING THE SEA

Connect the dots from 1 to 25.
Color the picture.

Look at the word list. Circle the words in the puzzle.

ICE	STORM
RAIN	HAIL
HOT	COLD
BREEZE	SNOW
WARM	FLURRY

M T R U E G H N H

N R H A I L N Z Q

D I C E V P E U Z

D Q P M N Z T A W

Y I R I E A K W A

C A A E S T O R M

W R R S N O W X H

F B S C O L D D O

A F L U R R Y E T

Look at the word list. Circle the words in the puzzle.

CHEETAH	TIGER
LYNX	CARACAL
JAGUAR	ONCILLA
LION	SERVAL
BENGAL	OCELOT

B P Y I O I O I Y A B

C E L I O N T N J

A O N L B R X C O

R C T G Y U B H N

A E B M A N N E C

C L D L G L X E I

A O T I G E R T L

L T F S E R V A L

J A G U A R N H A

INFLATED

Connect the dots from 1 to 25.
Color the picture.

A DAY AT THE CIRCUS

Draw a line from the ➡️ to the finish.

FINISH

CHANNEL 6 NEWS

Find and circle the hidden pictures.

 hard hat

 paintbrush

 vacuum

 pencil

 juice box

 safety pin

 table

 hook

nail

noodle

key

wooden board

book

straw

bone

eggplant

OUT ON A LIMB

Connect the dots from 1 to 25.
Color the picture.

SWAMP BUDDY

Draw a line from the ➡ to the finish.

FINISH

Look at the word list. Circle the words in the puzzle.

CEDAR	PALM
OAK	BEECH
ELM	ASH
HOLLY	MAPLE
POPLAR	ALDER

N W J W Q B A N E

J T W I O E L I L

C E D A R E D P M

M A P L E C E O C

L T H Q Q H R P P

D G O F Q P A L M

V D L A O S S A L

Q P L V A M H R W

U E Y J K U Z C Q

Look at the word list. Circle the words in the puzzle.

CORN	FENNEL
LEEK	TURNIP
KALE	AVOCADO
CARROT	BEAN
ONION	CHIVES

P B F X C A O N T

O E E H A V M N U

I A N L R O Y S R

K N N E R C S V N

O A E E O A O L I

S C L K T D H R P

B S Q E T O C B N

U K F C H I V E S

V J M O N I O N V

FOREST FRIENDS

Find and circle the hidden pictures.

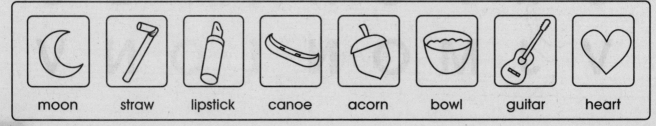

moon   straw   lipstick   canoe   acorn   bowl   guitar   heart

READY FOR LUNCH

Draw a line from the ➡ to the finish.

FINISH

WALKING THROUGH THE WOODS

Draw a line from the ➡ to the finish.

FINISH

GOING FISHING

Connect the dots from 1 to 25.
Color the picture.

Look at the word list. Circle the words in the puzzle.

PANTS	COAT
DRESS	BELT
TIE	GLOVES
SHIRT	SHOES
HAT	VEST

E M D P A N T S X

K E Y R Z C O A T

C P C G E T A D H

G E G Z B S P A A

L S H O E S S M T

O B B R L T I E O

V E S T T C Z Y W

E O T Y S H I R T

S D W J O J M W S

Look at the word list. Circle the words in the puzzle.

COW	APE	
ZOO	CAR	BEE
PIE	CAT	HEN
FOX	DOG	

U G F O X D H L M
D S C B F W O C N
Y Z W E Z C O O W
Y A O E T H W W W
N D B O E K V E H
E H O T Z P C A T
R E Z G Q M I P M
R N H O K P Y E N
A I C A R E U I T

RIDING ON TWO WHEELS

Connect the dots from 1 to 25.
Color the picture.

AHOY, MATE!

Draw a line from the ➡ to the finish.

FINISH

ORANGUTAN ISLAND

Find and circle the hidden pictures.

| boomerang | bottle | coconut | ribbon | ice-cream cone | telescope | hammer | banana |

pushpin   umbrella   juice box   paper airplane   necktie   feather   lime   seashell

Look at the word list. Circle the words in the puzzle.

ILLINOIS	ARKANSAS
VIRGINIA	DELAWARE
MARYLAND	GEORGIA
KENTUCKY	COLORADO
MICHIGAN	INDIANA

GA

```
K E N T U C K Y M I
I L L I N O I S P N
L Q L J Y S F E U D
A R K A N S A S C I
T V V I R G I N I A
M A R Y L A N D Z N
C O L O R A D O T A
R D E L A W A R E H
I H G E O R G I A R
W M I C H I G A N S
```

Look at the word list. Circle the words in the puzzle.

NEBRASKA   MARYLAND
OKLAHOMA   COLORADO
ARKANSAS   MISSOURI
MONTANA   DELAWARE
VIRGINIA   WYOMING

OK

L C O L O R A D O O
N E B R A S K A I K
D Z K A V O M M V L
E B O R M W I A I A
L A M K O Y S R R H
A F J A N O S Y G O
W I S N T M O L I M
A T T S A I U A N A
R W W A N N R N I G
E E I S A G I D A O

LIFE IN THE DESERT

Draw a line from the ➡ to the finish.

FINISH

HIKING TRIP

Connect the dots from 1 to 25.
Color the picture.

FROSTY FRIENDS

Draw a line from the ➡ to the finish.

FINISH

PLAYFUL PUPPY

Find and circle the hidden pictures.

| baseball bat | seal | bowling ball | apron | milk carton | moon | lamp | tennis racket |

Look at the word list. Circle the words in the puzzle.

FOOTBALL   POLO
SQUASH   SKIING
CHEER   GOLF
JUDO   LACROSSE
HOCKEY   SKATING

P S H G J U D O K
O S O O N G L S F
L Q C L O C A K O
O U K F W S C A O
V A E T G U R T T
C S Y D R J O I B
C H E E R X S N A
E X J E X G S G L
S K I I N G E N L

Look at the word list. Circle the words in the puzzle.

ARKANSAS   MICHIGAN
VIRGINIA   MARYLAND
NEBRASKA   WYOMING
DELAWARE   KENTUCKY
COLORADO   OKLAHOMA

```
M I C H I G A N K N
O K L A H O M A E S
V I R G I N I A N A
N E B R A S K A T R
C O L O R A D O U K
W Y O M I N G T C A
X H N E U R Q E K N
U G G Q Y Z L J Y S
M A R Y L A N D P A
D E L A W A R E H S
```

SINGING BEAR

Connect the dots from 1 to 25.
Color the picture.

BUZZING AROUND

Draw a line from the ➡ to the finish.

FINISH

I'M NOT SCARED!

Find and circle the hidden pictures.

telescope

cherries

pine tree

shoe

ladle

hanger

caterpillar

pineapple

254

HORSING AROUND

Connect the dots from 1 to 25.
Color the picture.

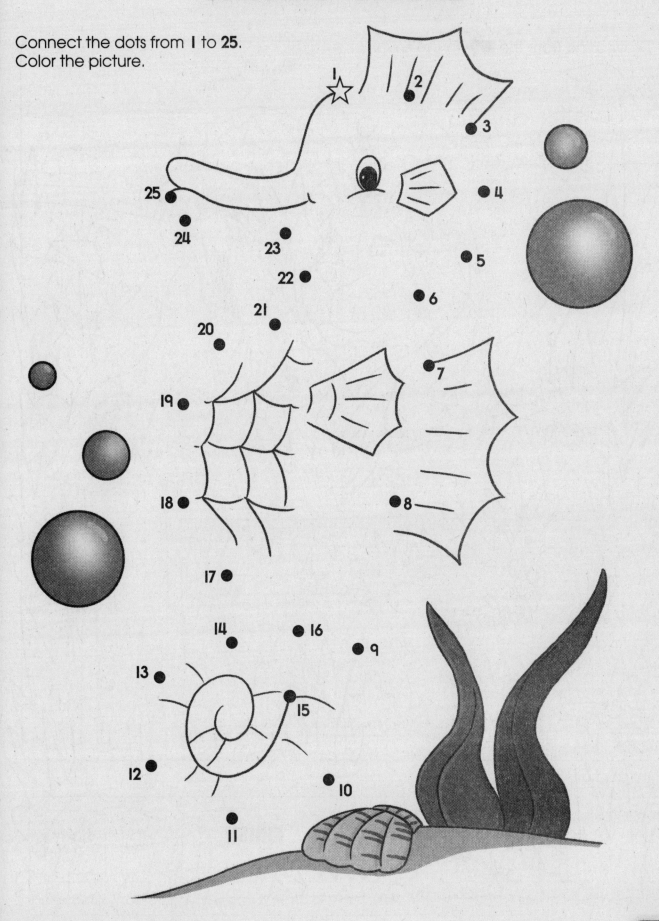

KING OF THE JUNGLE

Draw a line from the ➡ to the finish.

FINISH

GOOD DAY!

Connect the dots from **1** to **25**.
Color the picture.

Look at the word list. Circle the words in the puzzle.

NEPTUNE	SATURN
URANUS	SUN
COMET	MARS
PLANET	MERCURY
JUPITER	VENUS

Y P L A N E T C M

U R A N U S N V E

J N E P T U N E R

U G O S A J S N C

P C W U P Q A U U

I M O N V O T S R

T A E M K Z U Z Y

E R R W E I R X F

R S W G Z T N U A

Look at the word list. Circle the words in the puzzle.

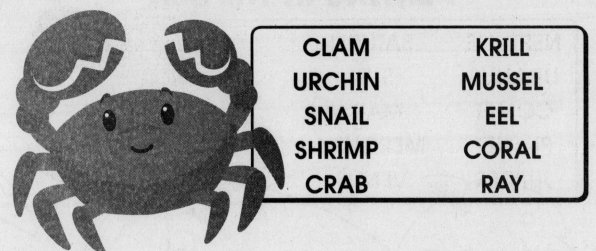

CLAM	KRILL
URCHIN	MUSSEL
SNAIL	EEL
SHRIMP	CORAL
CRAB	RAY

C R A B B B N U T K
M U S S E L R S R
B L P H R B C N I
L Q S H J E H A L
D I C H C D I I L
E T T O R L N L E
N K V N R I A G E
P R A Y O A M M L
M K M C P S L P I

PLAYING IN THE SEA

Find and circle the hidden pictures.

bread megaphone dragonfly crown hamburger brush hat onion

©School Zone Publishing Company 12502

stocking cap

spatula

slice of cake

birthday cake

shirt

pizza slice

comb

key

AFTERNOON PICNIC

Connect the dots from **1** to **25**.
Color the picture.

OUT FOR A RUN

Draw a line from the ➡ to the finish.

FINISH

PLAYING CHASE

Draw a line from the ➡ to the finish.

FINISH

SINGING IN THE SHOWER

Connect the dots from 1 to 25.
Color the picture.

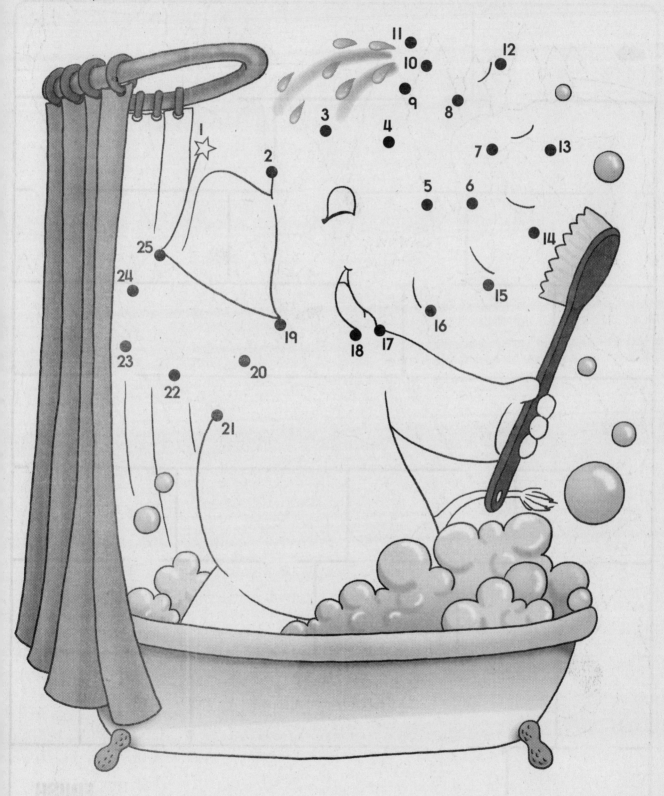

THE FINISH LINE

Draw a line from the ➡ to the finish.

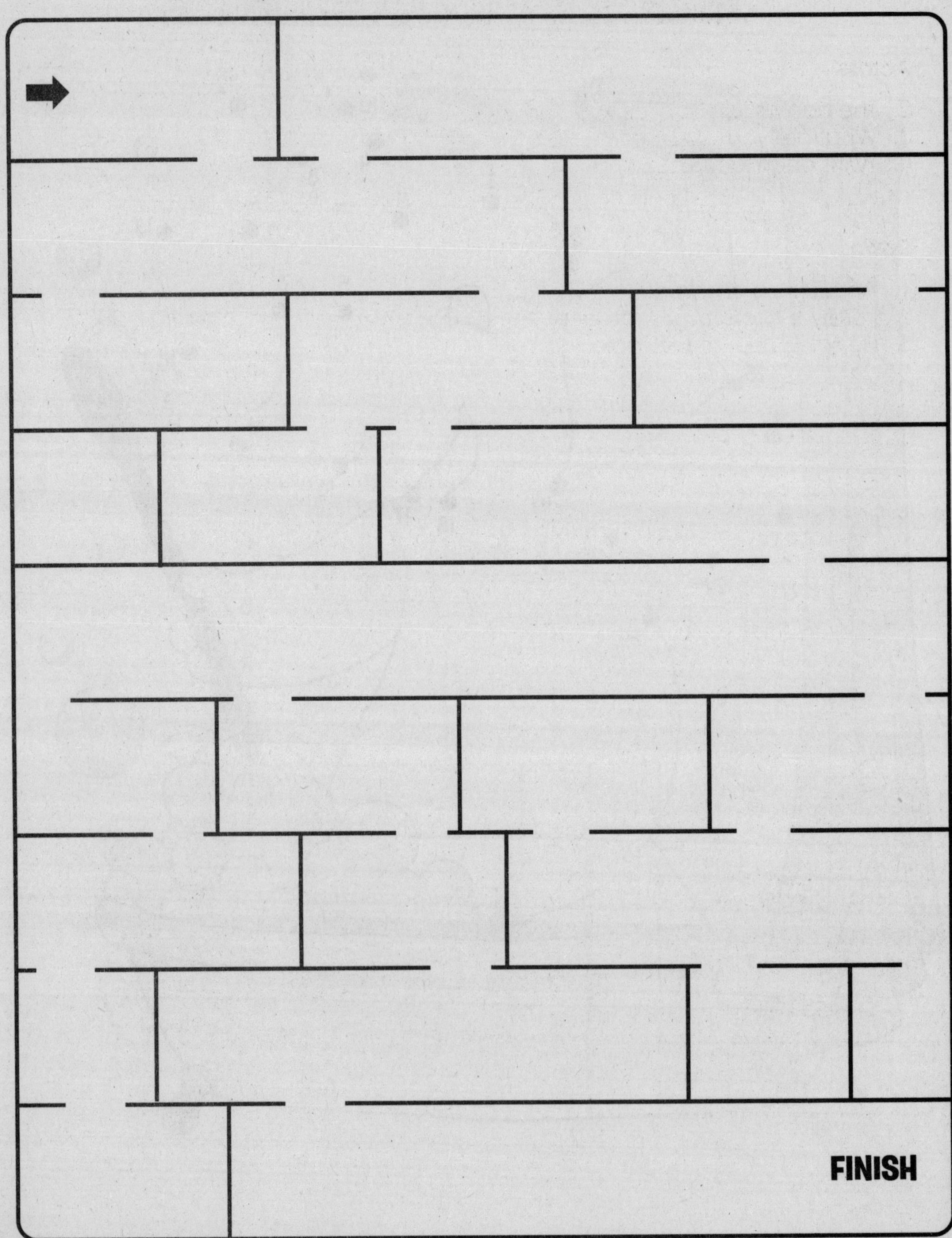

FINISH

AMAZING A WORDS

Read the clues to finish the puzzle.

ant about around afraid alone alike

Across

2. The book is _____ birds.
3. What are you _____ of?
4. Twins often look _____.

Down

1. An _____ is an insect.
2. I drew a circle _____ the answer.
3. He sat _____ at the table.

Look at the word list. Circle the words in the puzzle.

TOUCAN	OCELOT
SLOTH	CUCKOO
JAGUAR	TAPIR
OKAPI	COBRA
LEMUR	GIBBON

V K X I J H X J W

T A O K A P I N X

V A L F G S T Q S

G C P I U L O B O

I L O I A O U W C

B E M B R T C K E

B M A T R H A O L

O U P E P A N Y O

N R C U C K O O T

Look at the word list. Circle the words in the puzzle.

SNAKE	IGUANA
GECKO	TOAD
VIPER	PYTHON
NEWT	CAIMAN
MAMBA	FROG

```
M X D N E I M G P
V I P E R G A B F
P W C W A U M G R
Y S A T J A B K O
T G I G E N A O G
H D M K G A K W P
O G A Q W C F K R
N N N S E J P D U
S G J G P T O A D
```

LEFT & RIGHT

Write opposites of the words in Bear's and Hare's sacks.
Each pair of answers rhymes.

I'm left!

sad   full   below
right   asleep
wrong   hate   drop

bad   win
stop   pull   night
slow   long   late

I'm right!

1. left

2. love

3. above

4. catch

5. correct

6. happy

7. empty

8. awake

1. day

2. early

3. fast

4. go

5. short

6. good

7. push

8. lose

COMPARING COWGIRLS

Compare pictures **A** and **B**.
Circle what is different in picture **B**.

PICTURE A

PICTURE B

BRILLIANT B WORDS

Read the clues to finish the puzzle.

bee bed bad ball bell boat best

Across

1. A _____ sting hurts.
2. I felt _____ when the bird died.
3. Did you hear the _____ ring?
4. This is the _____ cake ever!

Down

1. I have a new quilt on my _____.
2. There are many kinds of _____ games.
3. The old row _____ has a leak.

PAT-A-CAKE

Connect the dots from 1 to 15.
Color the picture.

Pat-a-cake, pat-a-cake, baker's man,
Bake me a cake as fast as you can.
Pat it, and prick it, and mark it with a T,
And put it in the oven for Tommy and me.

ANIMAL QUILT

Write the correct animal names in the blanks on the quilt.

| bear | fox | fish | ox | mule | mouse |

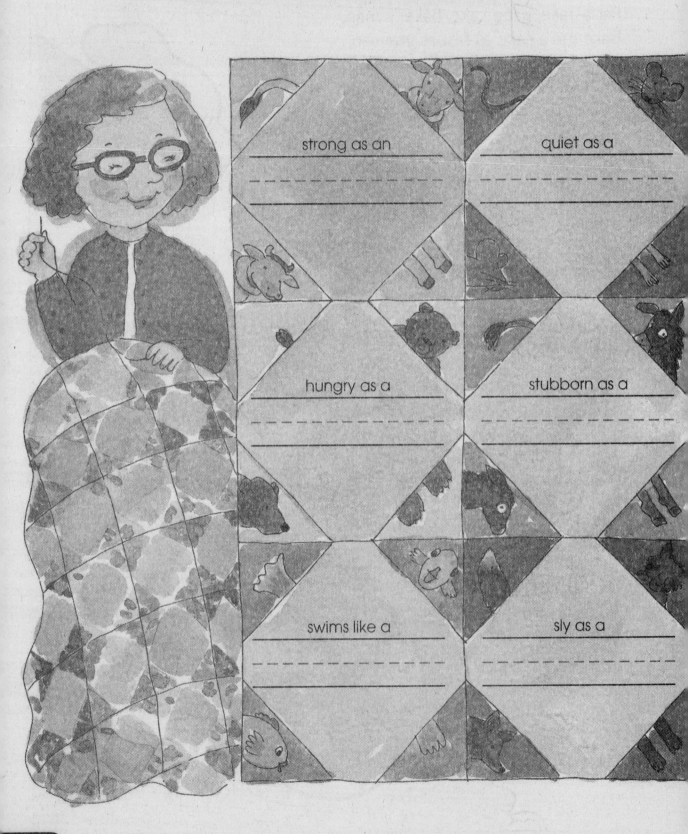

strong as an _____

quiet as a _____

hungry as a _____

stubborn as a _____

swims like a _____

sly as a _____

FRIENDLY FARMER

Find and circle the hidden pictures.

 boomerang hat baseball glove pants watermelon drumstick orange sock

Look at the word list. Circle the words in the puzzle.

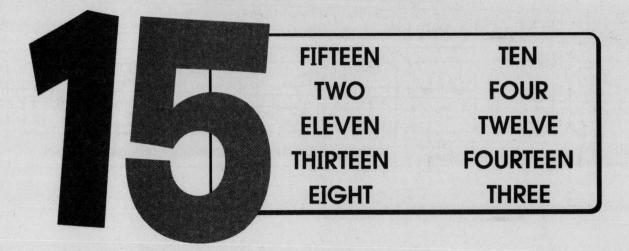

FIFTEEN   TEN
TWO   FOUR
ELEVEN   TWELVE
THIRTEEN   FOURTEEN
EIGHT   THREE

E T H I R T E E N N

T I U X M C N F G

W F W T M X T I V

E A O G H O W F A

L O X U B R O T O

V F O U R T E E N N

E L E V E N Z E D

B E I G H T Y N Y

H W K T Z N T E N

Look at the word list. Circle the words in the puzzle.

FISH   DOG
CAT   GERBIL
SNAKE   RABBIT
FROG   LIZARD
GOAT   PIG

D G Q L I Z A R D

S E R R A D O G F

N R Z A H I N N R

A B G B W V D D O

K I A B I I O Q G

E L H I H R V T C

G O A T U P A K N

F I S H O C I A L

L I Q K C Y W G K

UNDERWATER WORLDS

Write the words that go with the clues. Find and circle the words in the word search.
Look across, down, and diagonally.

salt	walrus	sand	tide	waves
shark	dolphin	octopus	currents	Pacific

1. the largest ocean _____

2. These are like giant rivers in the ocean. _____

3. a large fish with rows of sharp teeth _____

4. This animal may look like a fish, but it's a mammal. _____

5. something you can taste in ocean water _____

6. a large sea mammal with tusks _____

7. an ocean animal with a soft body

   and eight long tentacles _____

8. the daily rise and fall of ocean water caused by

   the sun and moon _____

9. These form when winds move ocean water

   toward the shore. _____

10. tiny pieces of rock and coral _____

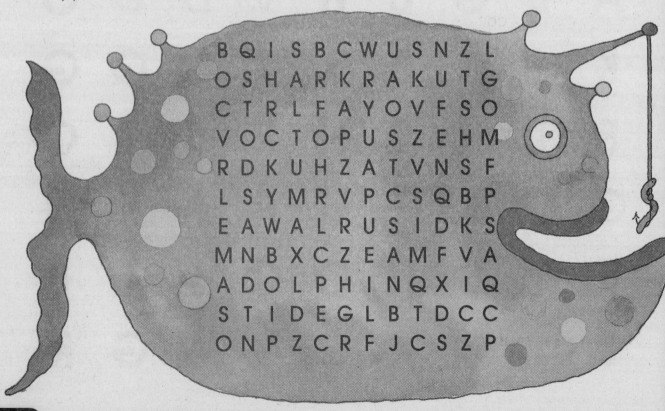

B Q I S B C W U S N Z L
O S H A R K R A K U T G
C T R L F A Y O V F S O
V O C T O P U S Z E H M
R D K U H Z A T V N S F
L S Y M R V P C S Q B P
E A W A L R U S I D K S
M N B X C Z E A M F V A
A D O L P H I N Q X I Q
S T I D E G L B T D C C
O N P Z C R F J C S Z P

SAFETY DOUBLE-CHECK

Use the grid to solve each clue.

traffic
injury
safety
protect
seat belt
crosswalks
lifeguard

	1	2	3	4	5
D	g	p	l	c	r
C	i	a	n	s	u
B	b	y	w	k	e
A	o	f	j	d	t

1. This keeps you safe in a car. __ __ __ __   __ __ __ __
   C4 B5 C2 A5   B1 B5 D3 A5

2. This person helps with water safety. __ __ __ __ __ __ __ __ __
   D3 C1 A2 B5 D1 C5 C2 D5 A4

3. Cross streets at corners and __ __ __ __ __ __ __ __ __ __.
   D4 D5 A1 C4 C4 B3 C2 D3 B4 C4

4. Obey __ __ __ __ __ __ __ lights.
   A5 D5 C2 A2 A2 C1 D4

5. A fall might cause an __ __ __ __ __ __.
   C1 C3 A3 C5 D5 B2

6. Wear a bike helmet to __ __ __ __ __ __ __ your head.
   D2 D5 A1 A5 B5 D4 A5

7. "Do not pet strange animals" is a __ __ __ __ __ __ rule.
   C4 C2 A2 B5 A5 B2

LITTLE JACK HORNER

Connect the dots from 1 to 15.
Color the picture.

Little Jack Horner sat in a corner,
Eating his Christmas pie.
He put in his thumb and pulled out a plum
And said, "What a good boy am I!"

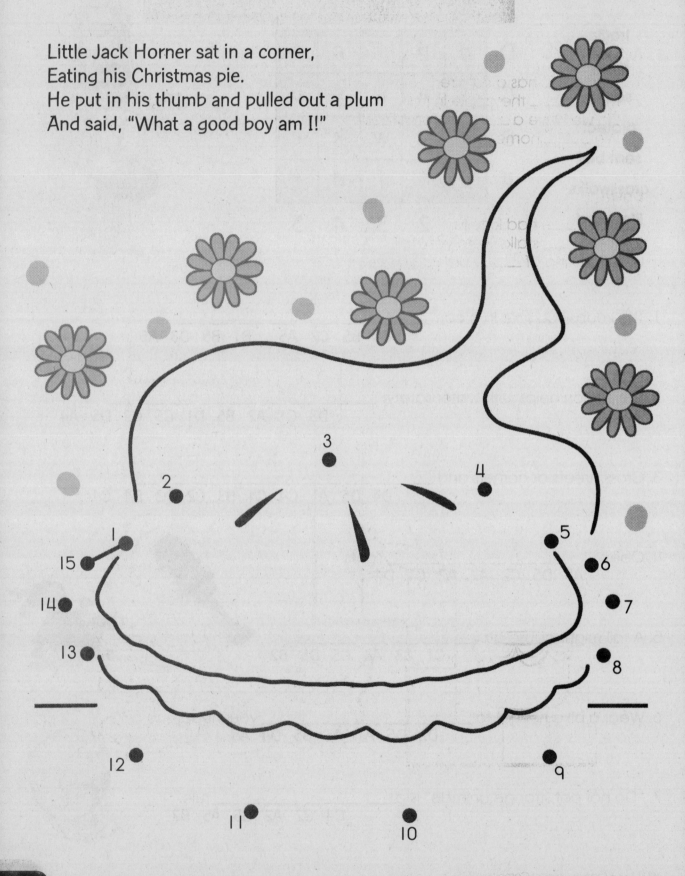

CLASSY C WORDS

Read the clues to finish the puzzle.

car cat cut came corn can cake

Across

1. Our _____ has a flat tire.
2. Mom _____ the apple in half.
3. Do we have a _____ of tomatoes?
4. We _____ home late.

Down

1. Our _____ had kittens.
2. The _____ stalks were very tall.
3. What kind of _____ did you bake?

DINOSAUR RIDDLE

Answer each clue to solve the riddle.

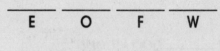

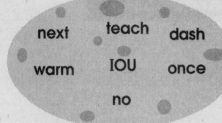

next   teach   dash

warm   IOU   once

no

1. a very small amount of something

E	O	F	W

2. one time

K	A	T	V

3. not hot, not cold

S	Z	P	D

4. the opposite of "yes"

C	J

5. a written promise to pay back a debt

M	U	I

6. immediately following

Y	B	Q	L

7. to show someone how to do something

N	G	X	R	H

How did the dinosaur feel after eating a pillow?

E	K	S	C	M	Y

N	W	V	D	J	I	L	H

.

BIG, BIG NUMBERS

Have you ever said, "I would never do that in a million years"? You're going to have to live a long time to make that true. A million (1,000,000) has 6 zeros. A trillion (1,000,000,000,000) has 12 zeros.

Answer each question by writing the word for each number, one letter per box. When you're finished, read down at the arrow to learn the word for the number with 100 zeros.

How many legs do spiders have?			g				
Two weeks equals how many days?		f					
The names of how many continents contain the word America?	t						
At what age do you become a legal adult?	e						
How many seasons are in a year?		f					
What time is one hour before midnight?		e					

DANDY D WORDS

Read the clues to finish the puzzle.

dark day dry dug dig down duck

Across

2. We _____ a deep hole.
3. It was getting _____ when we left.
4. A desert is a hot and _____ place.

Down

1. How deep did you have to _____?
2. A _____ is a swimming bird.
3. Night is the opposite of _____.
4. We slid _____ the hill.

MATCHING LITTERS

Circle 2 that are the **same**.

WHAT'S DIFFERENT?

Compare pictures **A** and **B**.
Circle what is different in picture **B**.

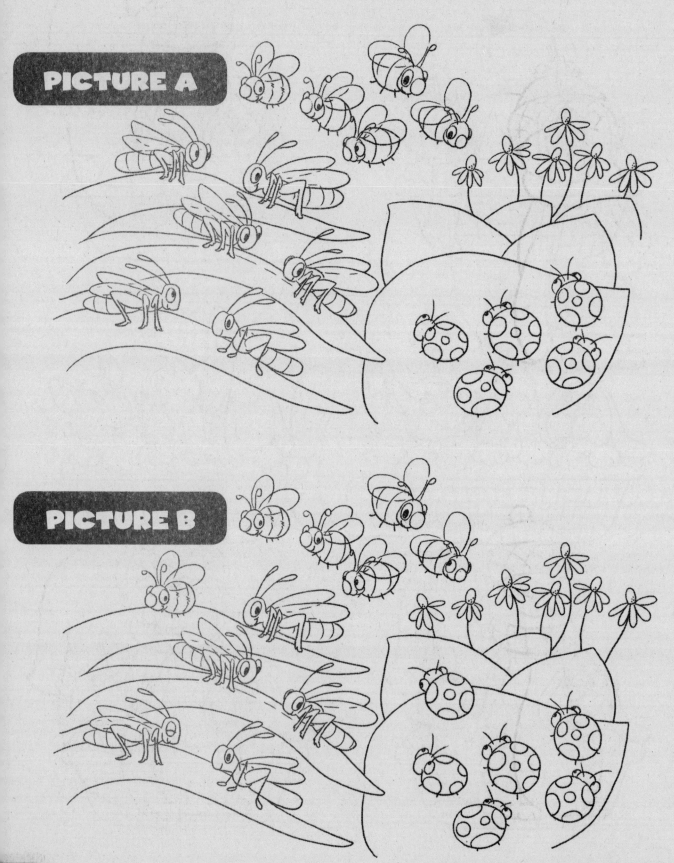

TWIN SQUIRRELS

Circle 2 that are the **same**.

UNDER THE SEA

Find and circle the hidden pictures.

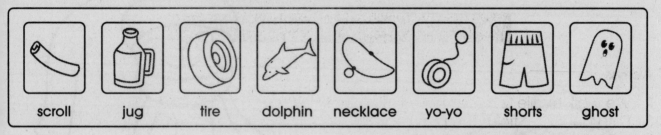

| scroll | jug | tire | dolphin | necklace | yo-yo | shorts | ghost |

EXPLORING E WORDS

Read the clues to finish the puzzle.

ear   ever   every   easy   Eight   exit

Across

2. We walk a mile _____ day.
3. Did you _____ finish the puzzle?
4. An _____ is a way out.

Down

1. The question was _____ to answer.
2. He could not hear in his right _____.
3. _____ is more than seven.

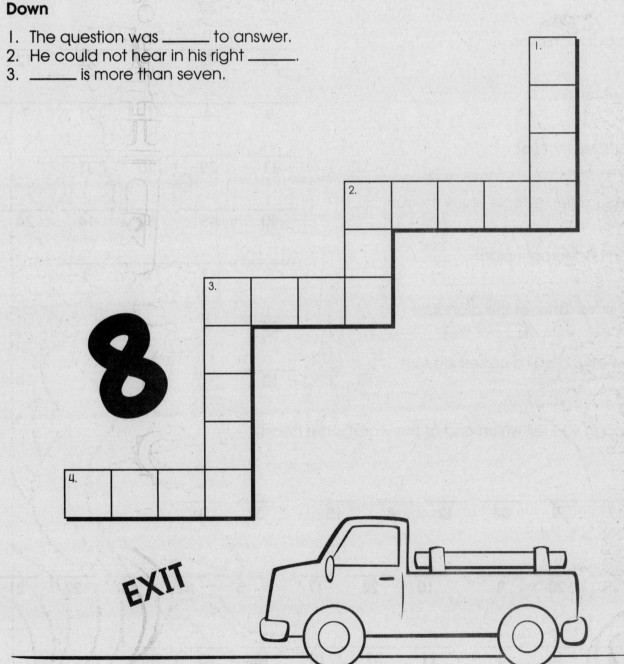

EXIT

WORM RIDDLE

Answer each clue to solve the riddle.

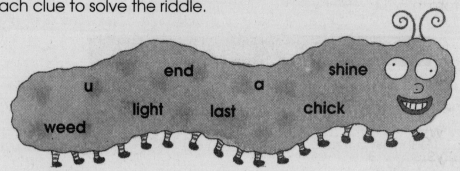

1. opposite of beginning

 $\overline{}$ $\overline{}$ $\overline{}$
 15   20   9

2. a baby chicken

 $\overline{}$ $\overline{}$ $\overline{}$ $\overline{}$ $\overline{}$
 33   42   18   22   12

3. not heavy

 $\overline{}$ $\overline{}$ $\overline{}$ $\overline{}$ $\overline{}$
 8   4   13   21   7

4. opposite of first

 $\overline{}$ $\overline{}$ $\overline{}$ $\overline{}$
 11   29   10   31

5. In summer, people enjoy the sun _____.

 $\overline{}$ $\overline{}$ $\overline{}$ $\overline{}$ $\overline{}$
 40   45   32   14   24

6. an undesirable plant

 $\overline{}$ $\overline{}$ $\overline{}$ $\overline{}$
 5   17   6   3

7. the first letter of the alphabet

 $\overline{}$
 47

8. what you call a horseshoe turn

 $\overline{}$
 19

How can you tell which end of the worm is the head?

 $\overline{}$ $\overline{}$ $\overline{}$ $\overline{}$ $\overline{}$ $\overline{}$ $\overline{}$ $\overline{}$,
 7   4   33   12   8   15   32   31

 $\overline{}$ $\overline{}$ $\overline{}$ $\overline{}$ $\overline{}$ $\overline{}$ $\overline{}$ $\overline{}$ $\overline{}$ $\overline{}$ $\overline{}$
 29   20   9   10   24   17   5   42   18   22   21

 $\overline{}$ $\overline{}$ $\overline{}$ $\overline{}$ $\overline{}$ $\overline{}$ $\overline{}$ $\overline{}$ $\overline{}$!
 6   14   3   11   47   19   13   45   40

LITTLE BOY BLUE

Connect the dots from **1** to **20**.
Color the picture.

Little Boy Blue, come blow your horn.
The sheep's in the meadow, the cow's in the corn.
Where is the boy who looks after the sheep?
He's under the haystack, fast asleep.

291

FABULOUS F WORDS

Read the clues to finish the puzzle.

food flag free fog fire find

Across

2. The _____ made it hard to see far.
3. All living things need _____.
4. We roasted hot dogs over the _____.

Down

1. Our _____ is red, white, and blue.
2. Did dad _____ the car keys?
3. Wild animals should be left _____.

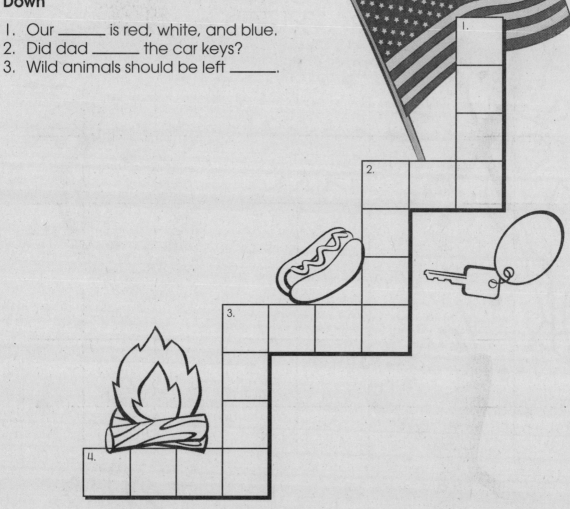

TIC-TAC-TOE

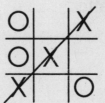

Choose which player will be X and which player will be O. Take turns drawing an X or an O in each section of the grid. Play until there are three Xs or three Os in a row horizontally, vertically, or diagonally or until the grid is filled. Whoever gets three in a row first wins!

2 players

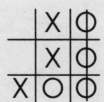

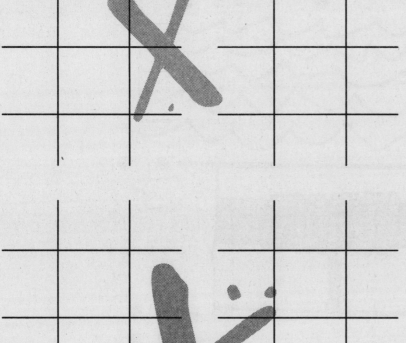

JACK AND JILL

Connect the dots from 1 to 20.
Color the picture.

Jack and Jill went up the hill
To fetch a pail of water.
Jack fell down and broke his crown,
And Jill came tumbling after.

GALLANT G WORDS

Read the clues to finish the puzzle.

gift great goat gas get guess

Across

2. A _____ artist painted the picture.
3. When did you _____ home?
4. Was your _____ right?

Down

1. A _____ is an important farm animal.
2. I brought a _____ for her birthday.
3. Our car ran out of _____.

Look at the word list. Circle the words in the puzzle.

ELEPHANT	MOUSE
GOAT	BEAVER
WALRUS	SKUNK
BAT	HORSE
BEAR	ZEBRA

E Y Z B S K U N K

G L O Q E F B Z Z

O Z E B R A N Q W

A V M P S U V I A

T Q O U H Q V E L

I I U U O A S K R

O H S H R P N A U

P F E R S F E T S

K B A T E B W R N

Look at the word list. Circle the words in the puzzle.

13

TWELVE	THIRTEEN
ELEVEN	TWO
SEVEN	FIVE
SIX	FIFTEEN
EIGHT	THREE

```
K F Q F E F S X D
T J T I T W I I N
H H T F W H D V X
I Y W T E D R Z E
R W O E L D S E R
T V K E V A E I E
E X K N E D V G S
E L E V E N E H T
N K E B W V N T J
```

HEROIC H WORDS

Read the clues to finish the puzzle.

honey   horse   have   happy   hat   hurt

Across

2. My friend keeps her _____ in a stable.
3. I was _____ to see her again.
4. How did you _____ your hand?

Down

1. I _____ a new penny.
2. _____ bees live in hives.
3. You need to wear a _____ today.

ACTIVITIES IN ALL KINDS OF WEATHER

This puzzle includes some of the people whose outdoor activities are affected by the weather. Use the clues to solve the crossword puzzle.

mail carrier
farmer
skier
crossing guard
golfer
gardener
rock climber
fisherman
pilot
driver

Across
1. Dry rocks make my sport easier.
4. My crops need rain—but not too much!
6. I fly high to avoid storms.
7. I help you cross streets in all kinds of weather.
9. There can't be too much snow for me!
10. My white ball gets wet from dew on the grass.

Down
2. I cast my nets in calm or rough seas.
3. Neither rain nor snow keeps me from my route.
5. My truck goes slower in bad weather.
8. No matter what the weather, I tend to my flowers.

THE LOST SHEEP

Connect the dots from **1** to **20**.
Color the picture.

Little Bo Peep has lost her sheep
and doesn't know where to find them.
Leave them alone, and they'll come home,
wagging their tails behind them.

18
19
20
17
16
15
14
13
12
11
10
9
8
7
6
5
4
3
2
1

300

©School Zone Publishing Company 12502

UNDER THE BIG TOP

Find and circle the hidden pictures.

| toothbrush | snail | asparagus | bow | milk carton | tennis ball | pot | snowman |

POTTING FLOWERS

Draw lines to match the flowers to the correct flower pots.
Use a different color for each line.

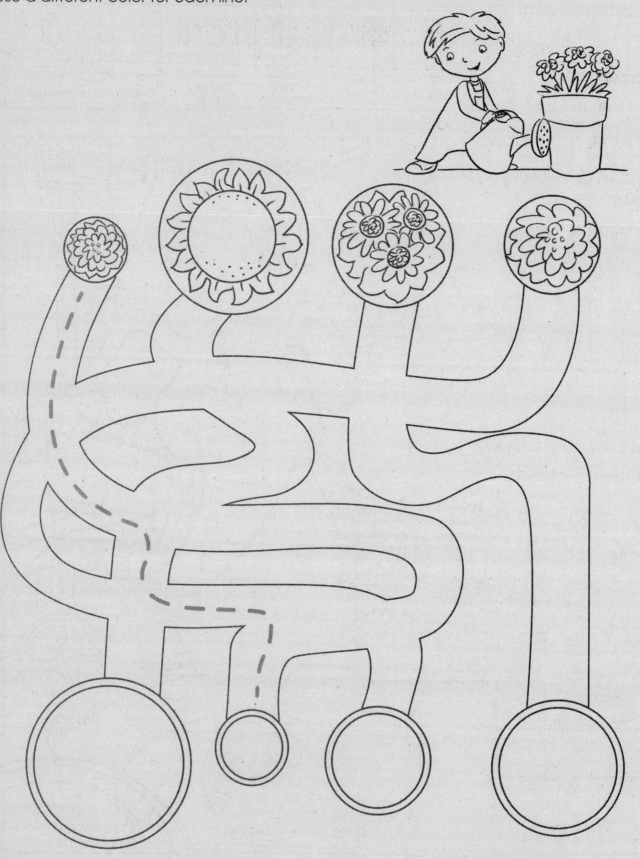

KICKIN' SHORT I WORDS

Read the clues to finish the puzzle.

kick   chick   inch   dish   dig   big

Across

2. One _____ just hatched.
4. She made a _____ of spaghetti.
5. An elephant is a very _____ animal.

Down

1. Some animals _____ as a defense.
3. An _____ is a measure of length.
4. We had to _____ a deep hole.

NUMBERS & NAMING WORDS

Read the poem. Write the numbers on the lines.

One man on his way to Hong Kong _____

Took **three hundred** good friends along. _____

He went with **six** dancing bears _____

And **two hundred** new chairs. _____

He brought **one hundred** tan dogs _____

Along with **five hundred** green frogs. _____

His **twelve** sons wore **forty-eight** shirts. _____ _____

Three daughters had **thirty-three** skirts. _____ _____

Write each naming word from the poem under the correct heading.

People	Places	Animals	Things

ALONG CAME A SPIDER

Connect the dots from 1 to 20.
Color the picture.

Little Miss Muffet sat on a tuffet,
Eating her curds and whey.
Along came a spider,
Who sat down beside her,
And frightened Miss Muffet away.

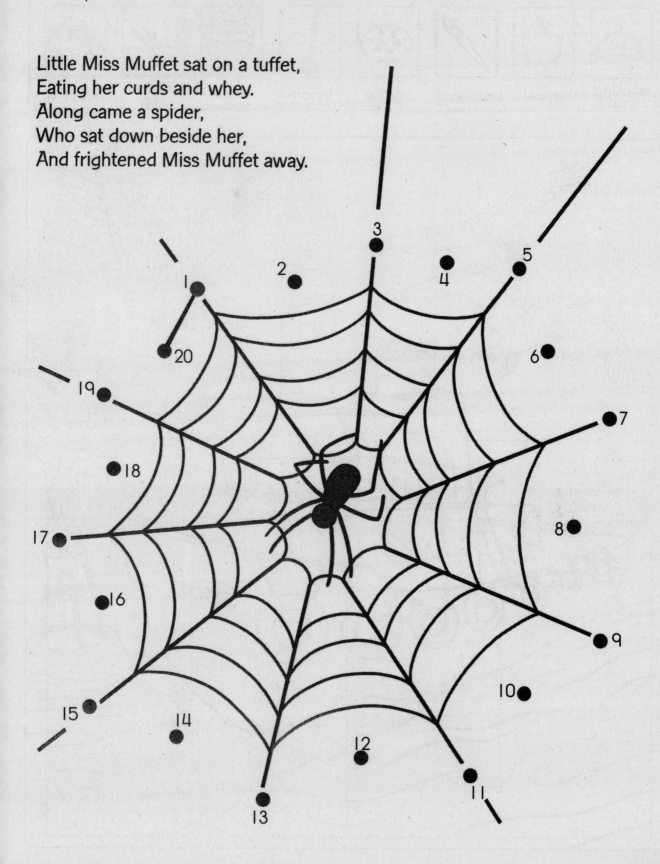

BY THE SHORE

Find and circle the hidden pictures.

stocking cap | apple | paintbrush | cookie | broom | bowl | paper clip | spaceship

JOYFUL J WORDS

Read the clues to finish the puzzle.

jeep jump just jet jeans jokes

Across

2. We had to _____ over the puddle.
3. We flew home in a _____.
4. Ben likes to tell funny _____.

Down

1. I took a ride in his _____.
2. He had _____ enough time to eat.
3. My _____ don't fit me now.

BASEBALL FOR MONKEYS

Find and circle the hidden pictures.

 cherry   brush   toothpaste   basket   stapler   lightbulb   zipper   bell

308

TIC-TAC-TOE

Choose which player will be X and which player will be O. Take turns drawing an X or an O in each section of the grid. Play until there are three Xs or three Os in a row horizontally, vertically, or diagonally or until the grid is filled. Whoever gets three in a row first wins!

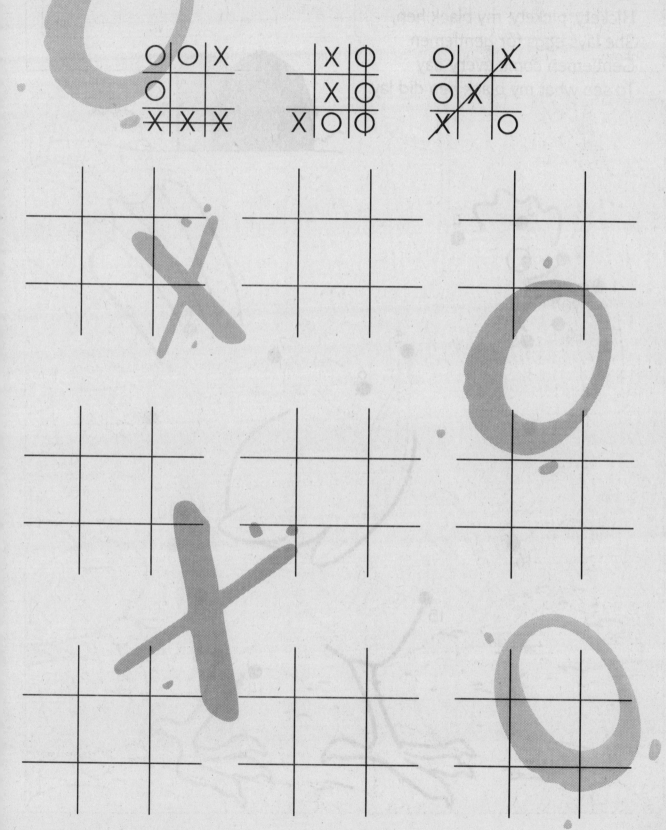

HICKETY, PICKETY

Connect the dots from 1 to 20.
Color the picture.

Hickety, pickety, my black hen,
She lays eggs for gentlemen.
Gentlemen come every day
To see what my black hen did lay.

SIGHT WORDS

Read the clues to finish the puzzle.

their your these were wish each

Across

2. They like _____ new teacher.
3. We _____ late for the show.
4. The cards were ten cents _____.

Down

1. Don't forget _____ hat.
2. How many of _____ cards are yours?
3. We _____ it would not rain.

KIND K WORDS

Read the clues to finish the puzzle.

kick kiss kitten kind kite keep

Across

1. Try to _____ the ball to the goal.
3. Which _____ of fruit is your favorite?
4. Can you _____ a secret?

Down

1. The _____ had white paws.
2. She gave the baby a hug and _____.
3. It is a good day to fly a _____.

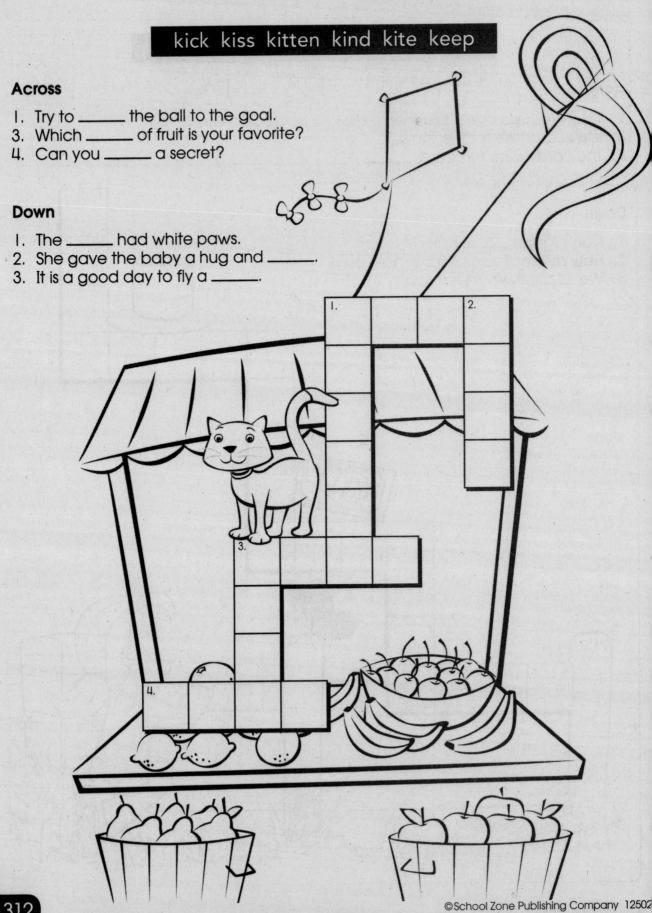

312

A BOWL OF FUN

Find and circle the hidden pictures.

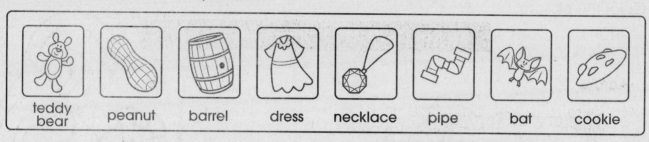

teddy bear | peanut | barrel | dress | necklace | pipe | bat | cookie

HICKORY, DICKORY, DOCK

Connect the dots from **1** to **20**.
Color the picture.

Hickory, dickory, dock,
The mouse ran up the clock.
The clock struck one.
The mouse ran down.
Hickory, dickory, dock.

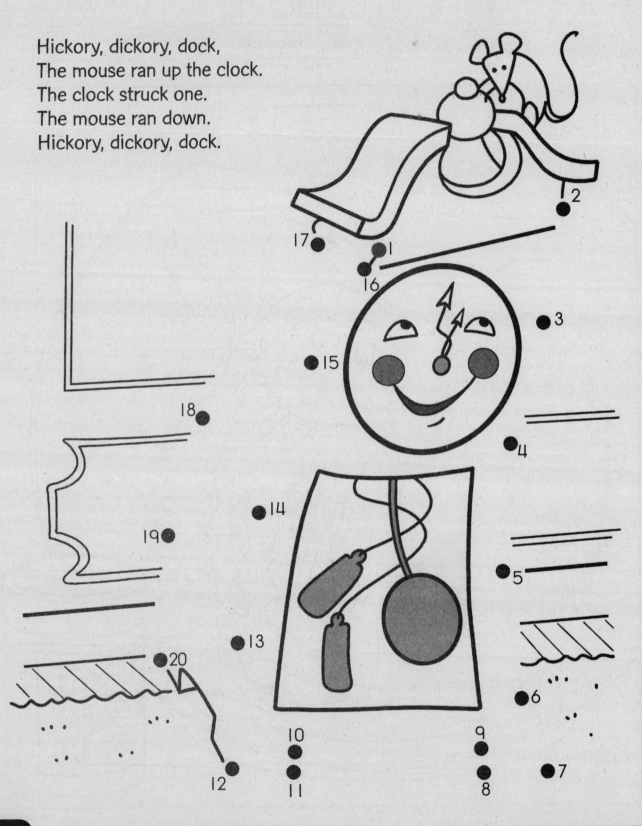

LETTER SWITCHEROO

Switch the letters of the underlined words to make new words.
Write the words. The first one is done for you.

1. Turn <u>shore</u> into an animal you can ride.

horse

2. Turn <u>lump</u> into a purple fruit.

3. Turn <u>owns</u> into a winter storm.

4. Turn <u>pea</u> into a large, hairy mammal.

5. Turn <u>stool</u> into things you use to work.

6. Turn <u>sore</u> into a flower.

7. Turn <u>notes</u> into a small rock.

8. Turn <u>swap</u> into a stinging insect.

Look at the word list. Circle the words in the puzzle.

GRAPE   BANANA
PEAR   LIME
ORANGE   MANGO
FIG   PLUM
LEMON   KIWI

O R A N G E G P M

O M F F G H R L P

X K A W I Q A U E

Y I K L O G P M A

S W A G E H E T R

K I N D F M I K C

K A P V S M O M A

M T Y B A N A N A

L I M E Z M X R R

Look at the word list. Circle the words in the puzzle.

CELLO	FLUTE
CORNET	BUGLE
ORGAN	BANJO
VIOLA	TUBA
HARP	GUITAR

B U V I O L A E Q
Y C O R G A N M K
Z Y F X B U G L E
C Q L U B D T R C
O J U V X O A A P
R Y T C L T Q R T
N R E L I L A K U
E N E U P H P W B
T C G B A N J O A

TIC-TAC-TOE

Choose which player will be X and which player will be O. Take turns drawing an X or an O in each section of the grid. Play until there are three Xs or three Os in a row horizontally, vertically, or diagonally or until the grid is filled. Whoever gets three in a row first wins!

O	O	X
O		
X	X	X

	X	O
	X	O
X	O	O

O		X
O	X	
X		O

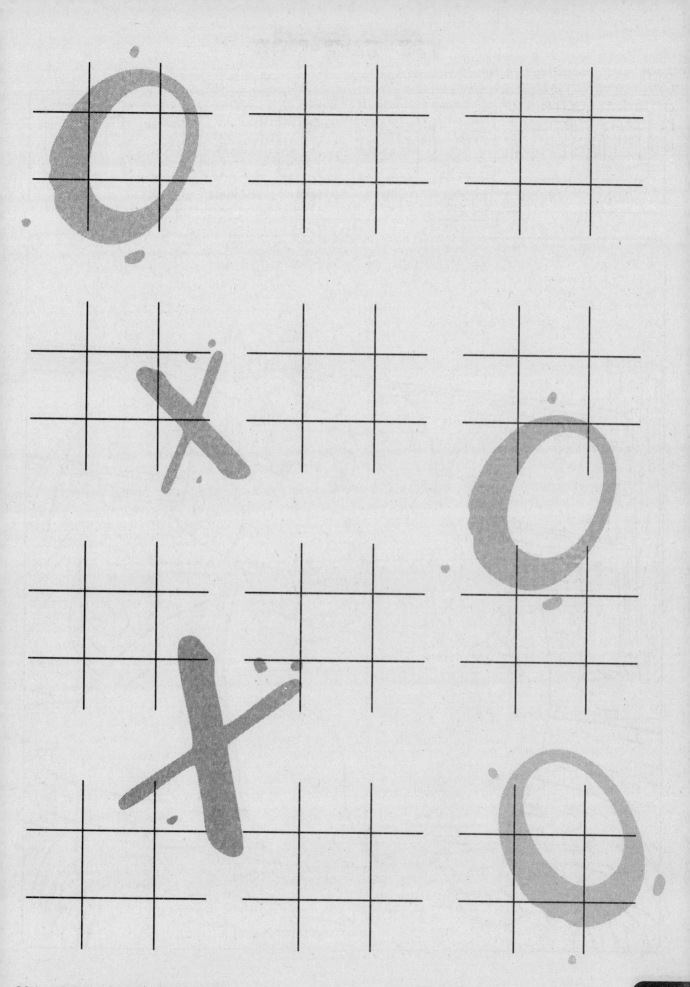

MUD BATH

Find and circle the hidden pictures.

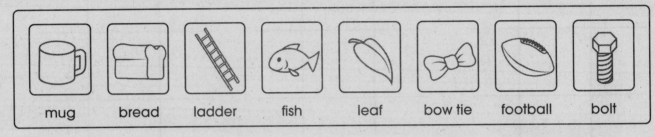

mug · bread · ladder · fish · leaf · bow tie · football · bolt